BONNIERBIBLIOTEKET

Hjalmar Söderberg: Doktor Glas

Hjalmar Söderberg

DOKTOR GLAS

ALBERT BONNIERS FÖRLAG

STOCKHOLM

© ALBERT BONNIERS FÖRLAG AB 1958

Fjortonde—nittonde tusendet

PRINTED IN SWEDEN

STOCKHOLM. ALB. BONNIERS BOKTRYCKERI 1964

Inledning

Hjalmar Söderberg (1869—1941) är den utpräglade storstads-
människan bland nittitalets många traditionsdyrkare och pro-
vinsdiktare. Han övergav visserligen det Stockholm där han
fötts och växt upp för en kort journalistsejour i Kristianstad
efter studentexamen, men betraktade sin vistelse i provinsen som
en förvisning. 1917 flyttade han från Stockholm till Köpen-
hamn, där han stannade till sin död. Storstaden med sin intel-
lektuella rörlighet och sin skymningsmelankoli sätter sin prägel
på hans författarskap som ger en åskådlig och levande bild av
stockholmslivet vid sekelskiftet.

Även i andra avseenden skilde sig Söderberg från nittitals-
diktarna — med sin förnuftstro och sitt radikala patos hör han
mer hemma i det svenska åttitalet och hans ledstjärna bland
svenska diktare var den unge Strindberg. Helt oberörd av sin
tid var han emellertid inte — nittitalets individualism och
skönhetsdyrkan och dess europeiska pessimism ger själva an-
slaget åt hans diktning.

Redan i debutboken "Förvillelser" (1895) är Söderbergs för-
fattarprofil klart utmejslad. Den charmfulla och elegant berät-
tade historien om en bortskämd överklasspojkes ungdomsynder
väckte med sin okonventionella syn på kärleken åtskillig mora-
lisk uppståndelse. De som inte förblindades av sedligt patos upp-
täckte emellertid en graciös stilist och en skarpögd erotisk
psykolog, som skolats hos kontinentala berättare som France
och Maupassant. Med "Historietter" (1898) och sina novellsam-
lingar visade sig Söderberg som en det lilla formatets mästare.
Romanerna "Martin Bircks ungdom" (1901) och "Den allvar-
samma leken" (1912) har delvis självbiografisk bakgrund. Den
radikala individualismen och den för samtiden utmanande ero-
tiska sensualismen får sin personliga ton av Söderbergs vemo-
diga pessimism — hans människor är maktlösa marionetter i ett
övermäktigt ödes hand. De satsar allt på kärleken men saknar
kraft att förverkliga den. Det är denna resignerade övertygelse

som ligger bakom Gabriel Lidmans berömda maxim i skådespelet "Gertrud": "Jag tror på köttets lust och på själens obotliga ensamhet."

I romanen "Doktor Glas" (1905) finns samma frostbitna vemod — doktor Glas står som passiv åskådare till livet — och han är en inåtvänd drömmare som saknar kraft att ta världen i sina egna händer. Men detta tema kommer i bakgrunden för den lilla romanens brännbara stoff, som gjorde den till en succès de scandale när den första gången kom ut. Har man under några omständigheter rätt att döda en medmänniska som är ett motbjudande skadedjur? Man må svara hur man vill på frågan, men ingen kan motstå tjusningen i skildringarna av doktor Glas' promenader i ett oscariskt sommarstockholm i pastellfärger.

Från och med tiden för första världskriget undanträngde Söderbergs filosofiska och politiska intressen allt mer hans litterära skapande — för åttitalets arvtagare var kampen mot mörkrets och lögnens makter, antingen de representerades av kyrkan, den officiella moralen, nazismen eller socialismen, viktigare än skönlitteraturen. Hans pessimism blev aldrig så radikal att den kapitulerade för dumheten och ondskan. Men sin rang av klassiker har Söderberg fått i kraft av sin kvickhet, sin säkert sovrade prosa och sin överlägsna ironi.

DOKTOR GLAS

Jag har aldrig sett en sådan sommar. Rötmånadshetta sedan mitten av maj. Hela dagen står ett tjockt töcken av damm alldeles stilla över gatorna och torgen.

Först på kvällen lever man upp en smula. Jag tog en aftonpromenad nyss, som jag gör nästan var dag efter mina sjukbesök, och de äro icke många nu på sommaren. Det kommer en sval, jämn luftström från öster, töcknet lyfter, seglar långsamt bort och blir en lång slöja av rött stoft bort i väster. Intet skrammel av arbetsåkdon mera, bara en droska då och då, och spårvagnen som ringer. Jag går gatan ner i sakta mak, träffar emellanåt en bekant och står och pratar en stund i ett gathörn. Men varför skall jag jämt möta pastor Gregorius? Jag kan inte se den mannen utan att jag kommer att tänka på en anekdot jag en gång i världen hörde om Schopenhauer. Den bistre filosofen satt en kväll i ett hörn i sitt kafé, ensam som vanligt; dörren öppnas och en person med ett osympatiskt utseende stiger in. Schopenhauer betraktar honom med ett ansikte, förvridet av vämjelse och fasa, rusar upp och börjar dunka mannen i huvudet med sin käpp. Det var bara med anledning av hans utseende.

Nå, jag är nu ingen Schopenhauer; då jag såg prästen komma emot mig på långt håll, det var på Vasabron, stannade jag hastigt och ställde mig att se på utsikten med armarna stödda mot broräcket. Helgeandsholmens grå hus, den gamla badstuns söndriga götiska träarkitektur som speglades bruten i det rinnande vattnet, de stora gamla pilarna, som doppade sina blad i strömmen. Jag hoppades att prästen inte hade sett mig och att han inte heller skulle känna igen min ryggtavla, och jag hade redan i det närmaste glömt honom, då jag plötsligt fick se honom stå bredvid mig med armarna på broräcket liksom jag och huvudet på sned — i alldeles samma attityd som för tjugu år sen i Jakobs kyrka, då jag satt i familjebänken vid min salig mors sida och för första gången såg denna förskräckliga fysionomi skjuta upp i predikstolen som en otäck svamp och klämma i med sitt abba, käre fader. Samma feta, grådaskiga ansikte, samma smutsgula polisonger, litet gråa nu kanske, och samma outgrundligt gemena blick bakom glasögonen. Omöjligt att komma undan, jag är ju hans läkare nu liksom många andras, och han kommer till mig ibland med sina krämpor. — Se god afton, herr pastor, hur står det till. — Inte bra, inte riktigt bra, hjärtat är dåligt, bultar ojämnt, stannar ibland om nätterna, tycker jag. — Det gläder mig, tänkte jag, du kan gärna dö, din gamla rackare, så slipper jag se dig mera. Du har för resten en ung och vacker hustru, som du förmodligen pinar livet ur, och när du dör gifter hon om sig och skaffar sig en mycket bättre man. Men högt sade jag: jaså, jaha, pastorn kanske kommer upp till mig en av dagarna, så får vi se hur det är fatt. Men han hade mycket mera att

tala om, viktiga saker: det är ju en rentav onaturlig vär-
me, och det är dumt att det skall byggas ett stort riks-
dagshus på den lilla holmen där, och min hustru är för
resten inte heller riktigt kry.

Så gick han till sist, och jag fortsatte min väg. Jag kom
in i gamla staden, uppför Storkyrkobrinken, in i gränder-
na. En kvav skymning i de smala rämnorna mellan husen,
och besynnerliga skuggor utmed väggarna, skuggor som
man aldrig ser till nere i våra kvarter.

— — — Fru Gregorius. Det var ett underligt besök hon
gjorde mig häromdagen. Hon kom på min mottagning;
jag såg mycket väl när hon kom och att hon kom i god
tid, men hon väntade till sist och lät andra, som kommo
senare, gå före. Så kom hon då in till slut. Hon rodnade
och stammade. Till sist fick hon fram någonting om att
hon hade ont i halsen. Ja, det var för resten bättre nu. —
Jag kommer igen i morgon, sade hon, jag har så bråttom
nu ...

Ännu har hon inte kommit igen.

Jag kom ut ur gränderna, rakt ner på Skeppsbron. Må-
nen stod över Skeppsholmen, citrongul i det blå. Men hela
min lätta och lugna stämning var borta, mötet med präs-
ten hade fördärvat den. Att det skall få finnas sådana män-
niskor till i världen som han! Vem minns inte det gamla
problemet, som så ofta kommer under debatt när det sit-
ter några fattiga satar tillsammans vid ett kafébord: om
du kunde döda en kinesisk mandarin bara genom att tryc-
ka på en knapp i väggen, eller genom en ren viljeakt, och
sedan ärva hans rikedomar — skulle du göra det? Den

frågan har jag aldrig gittat svara på, kanske därför att jag aldrig riktigt hårt och bittert har känt fattigdomens elände. Men jag tror, att om jag kunde döda den där prästen genom att trycka på en knapp i väggen så skulle jag göra det.

Då jag gick hem i den onaturligt, bleka nattskymningen, tycktes mig hettan åter lika tryckande som mitt på dagen, liksom mättad med ångest, de röda stoftskyarna, som lågo lagrade bortom fabriksskorstenarna på Kungsholmen, hade mörknat och liknade sovande olyckor. Jag gick hemåt med långa steg nedåt Klara kyrka, med hatten i hand, ty svetten sipprade fram på min panna. Icke ens under kyrkogårdens stora träd fanns det svalka, men på nästan varje bänk satt det ett par och viskade, och några sutto i knä på varandra och kysstes med druckna ögon.

*

Jag sitter vid mitt öppna fönster nu och skriver detta — för vem? För ingen vän och för ingen väninna, knappt för mig själv ens, ty jag läser icke i dag vad jag skrev i går och kommer icke att läsa detta i morgon. Jag skriver för att röra min hand, min tanke rör sig av sig själv; skriver för att döda en sömnlös timme. Varför får jag inte sova? Jag har ju inte begått något brott.

*

Det som jag skriver ned på dessa blad är icke någon bikt; för vem skulle jag bikta mig? Jag berättar icke allt om mig själv. Jag berättar blott det som behagar mig att berätta; men jag säger ingenting som icke är sant. Jag kan dock icke ljuga bort min själs eländighet, om den är eländig.

*

Därute hänger den stora blå natten över kyrkogårdens träd. Det är tyst i staden nu, så tyst att suckarna och viskningarna från skuggorna därnere tränga ända hit upp, och en enstaka gång skär ett fräckt skratt igenom. Jag känner det som om i denna stund ingen i världen vore ensam mer än jag. Jag, medicine licentiaten Tyko Gabriel Glas, som stundom hjälper andra men aldrig har kunnat hjälpa mig själv, och som vid fyllda trettitre år aldrig har varit när en kvinna.

14 juni.

Vilket yrke! Hur kom det sig att jag bland alla näringsgrenar valde den, som passade mig minst? En läkare måste vara ett av de två: människovän eller ärelysten. — Det är sant, på den tiden trodde jag mig vara bägge delarna.

Åter var här i dag en liten kvinna, som grät och tiggde och bad, att jag skulle hjälpa henne. Jag känner henne sedan flera år. Gift med en liten tjänsteman, fyra tusen om året eller något sådant, och tre barn. Barnen kommo slag i slag de tre första åren. Sedan har hon fått vara förskonad i fem eller sex år, hon har vunnit igen en smula hälsa och krafter och ungdom, och hemmet har hunnit ordna sig,

resa sig litet efter olyckorna. Knappt om brödet naturligt-
vis, men det går ändå, tycks det. — Så med ens är olyckan
där igen.

Hon kunde knappt tala för gråt.

Jag svarade naturligtvis med den vanliga utanläxan, som
jag alltid läser upp i liknande fall: min plikt som läkare,
och aktningen för människoliv, också det spädaste.

Jag var allvarlig och obeveklig. Så måste hon då gå till
sist, skamsen, förvirrad, hjälplös.

Jag annoterade fallet; det var det adertonde i min prak-
tik, och jag är likväl icke kvinnoläkare.

Det första glömmer jag aldrig. Det var en ung flicka,
tjugutvå år eller så; en stor mörkhårig, litet vulgär ung
skönhet. Man såg strax, att hon var av den sorten som
måste ha uppfyllt jorden på Luthers tid, om han annars
hade rätt då han skrev: det är lika omöjligt för en kvinna
att leva utan man som att bita av sin egen näsa. Tjockt
borgerligt blod. Fadern var en förmögen handlande; jag
var husläkare i familjen, därför kom hon till mig. Hon var
upprörd och utom sig men icke mycket blyg.

— Rädda mig bad hon, rädda mig. Jag svarade med
plikten etc., men det var tydligen något som hon icke för-
stod. Jag förklarade för henne att lagen icke förstod sig
på skämt i sådana fall. — Lagen? Hon såg bara frågande
ut. — Jag rådde henne att anförtro sig åt sin mor: så ta-
lar hon med pappa, och så blir det bröllop. — O, nej, min
fästman har ingenting, och far skulle aldrig förlåta mig.
De voro icke förlovade, hon sade "fästman" blott emedan
hon icke kunde finna något annat ord, älskare är ett ro-

manord som låter oanständigt i tal. — Rädda mig, har ni då ingen barmhärtighet! Jag vet inte vad jag gör, jag går i Norrström!

Jag blev litet otålig. Hon ingav mig icke heller något särskilt medlidande, sådant där arrangerar sig ju alltid, när det bara finns pengar. Det är bara stoltheten som får lida en smula. Hon snyftade och snöt sig och talade förvirrat, till sist kastade hon sig på golvet och sparkade och skrek.

Nå, det slutade naturligtvis som jag hade tänkt; fadern, en rå lymmel, gav henne ett par örfilar, gifte henne sedan i rykande fart med medbrottslingen och skickade ut dem på bröllopsresa.

Sådana fall som hennes ha aldrig gjort mig huvudbry. Men det gjorde mig ont om den lilla bleka kvinnan i dag. Så mycket lidande och elände för ett så litet nöje.

Aktningen för människoliv — vad är det i min mun annat än ett gement hyckleri, och vad kan det vara annat för den, som då och då har tillbragt en ledig stund med att tänka. Det myllrar ju av människoliv. Och vid främmande, okända, osedda människoliv har aldrig någon på allvar fäst det ringaste avseende, kanske med undantag av några alltför påtagligt narraktiga filantroper. Man visar det i handling. Alla regeringar och parlament i världen visa det.

Och p l i k t e n, vilken förträfflig skärm att krypa bakom för att slippa göra det, som bör göras.

Men man kan ju inte heller sätta allt på spel, ställning, anseende, framtid, för att hjälpa främmande och likgiltiga människor. Att räkna på deras tystlåtenhet vore väl barnsligt. En väninna kommer i samma knipa, så viskas det ett ord om var hjälp står att få, och snart är man känd. Nej, bäst att hålla sig till plikten, om den också är en målad kuliss, som Potemkins byar. Jag är bara rädd att jag läser upp mitt pliktformulär så ofta, att jag till sist tror på det själv. Potemkin bedrog bara sin kejsarinna, hur mycket föraktligare är det icke att bedraga sig själv.

*

Ställning, anseende, framtid. Som om jag icke var dag och var stund vore beredd att packa dessa kollin ombord på det första skepp, som kommer lastat med en handling. En verklig handling.

15 juni.

Åter sitter jag vid fönstret, den blå natten vakar därute, och det viskar och prasslar under träden.

Jag såg ett äkta par i kväll på min aftonpromenad. Henne kände jag strax igen. Det är inte så många år sedan jag dansade med henne på baler, och jag har inte glömt, att hon var gång jag såg henne gav mig en sömnlös natt i present. Men det visste hon ingenting om. Hon var icke kvinna då ännu. Hon var jungfru. Hon var den levande drömmen: mannens dröm om kvinnan.

Nu gick hon stadigt gatan fram vid den äkta mannens arm. Dyrare klädd än förr, men tavligare, mera borgerligt; något slocknat och tärt i blicken, på samma gång en

belåten hustrumin som om hon bar sin mage framför sig
på en nysilverbricka.

Nej, jag förstår det icke. Varför skall det vara så, varför
skall det alltid bli så? Varför skall kärleken vara trollgul-
det, som andra dagen blir vissna löv, eller smuts, eller öl-
supa? Ur människornas längtan efter kärlek har ju hela
den sidan av kulturen spirat upp, som icke direkt syftar
till hungerns stillande eller försvar mot fiender. Vårt skön-
hetssinne har ingen annan källa. All konst, all dikt, all mu-
sik har druckit ur den. Den tarvligaste moderna historie-
målning likaväl som Rafaels madonnor och Steinlens små
parisiska arbeterskor, "Dödens ängel" likaväl som Höga
visan och Buch der Lieder, koralen och Wienervalsen, ja
varje gipsornament på det tarvliga hus där jag bor, varje
figur i tapeten, formen på porslinsvasen där och mönstret
i min halsduk, allt som vill pryda och försköna, det må
nu lyckas eller misslyckas, stammar därifrån, fast på myc-
ket långa omvägar ibland. Och det är intet nattligt hug-
skott av mig, utan bevisat hundra gånger.

Men den källan heter icke kärleken, utan den heter:
drömmen om kärlek.

Och å andra sidan är allt, som står i samband med dröm-
mens fullbordan, med driftens tillfredsställelse, och som
följer av den, inför vår djupaste instinkt något oskönt och
oanständigt. Detta kan icke bevisas, det är bara en känsla:
m i n känsla, och jag tror egentligen allas. Människorna
behandla alltid varandras kärlekshistorier som något lågt
eller komiskt och göra ofta icke ens undantag för sina
egna. Och sedan följderna... En kvinna i grossess är nå-

2 *Söderberg*

got förskräckligt. Ett nyfött barn är vedervärdigt. En dödsbädd gör sällan ett så ohyggligt intryck som en barnsbörd, denna förfärliga symfoni av skrik och smuts och blod.

Men först och sist själva akten. Jag glömmer aldrig, då jag som barn för första gången under ett av de stora kastanjeträden på skolgården hörde en kamrat förklara "hur det går till". Jag ville inte tro det; det måste komma flera andra pojkar till och bekräfta det och skratta åt min dumhet, och jag trodde det knappt ändå, jag sprang min väg i fullt ursinne. Hade alltså far och mor gjort på det sättet? Och skulle jag själv göra så när jag blev stor, kunde jag inte slippa ifrån det?

Jag hade alltid känt ett stort förakt för de dåliga gossar, som brukade rita fula ord på väggarna och planken. Men i den stunden var det mig som om Gud själv hade ritat något fult på den blå vårhimmeln, och jag tror egentligen att det var då jag först började undra, om det verkligen fanns någon gud.

Ännu i dag har jag inte riktigt hämtat mig från min förvåning. Varför måste vårt släktes liv bevaras och vår längtan stillas just genom ett organ som vi flera gånger om dagen begagna till avloppsrör för orenlighet; varför kunde det inte ske genom en akt, som det låg värdighet och skönhet i på samma gång som den högsta vällust? En akt, som kunde utföras i kyrkan, inför allas ögon, likaväl som i mörkret och ensamheten? Eller i ett rosentempel mitt i solen, under körsång och dans av bröllopsskaran.

*

Jag vet inte hur länge jag har gått av och an genom rummen.

Det ljusnar därute nu, kyrktuppen blänker mot öster, sparvarna pipa hungrigt och vasst.

Besynnerligt, att det alltid går en rysning genom luften före soluppgången.

18 juni.

Det var litet svalare i dag, jag tog en ridtur för första gången på över en månad.

Vilken morgon! Jag hade lagt mig tidigt kvällen förut och sovit i ett hela natten. Jag sover aldrig utan att drömma, men den nattens drömmar voro blå och lätta. Jag red utåt Haga runt om ekotemplet, förbi koppartälten. Dagg och spindelväv över alla buskar och snår och ett stort sus genom träden. Deva var vid sitt käckaste lynne, jorden dansade fram under oss, ung och frisk som på skapelsens söndagsmorgon. Jag kom till ett litet värdshus; jag kände till det, jag var ofta där i våras under mina morgonritter. Jag satt av och tömde en flaska öl i ett enda drag, så tog jag den brunögda flickan om livet och svängde henne runt ett varv, kysste henne på håret och red min kos.

Som det står i visan.

19 juni.

Så, fru Gregorius. Det var alltså ärendet. Litet ovanligt, det är sant.

Hon kom sent denna gång, mottagningstiden var förbi, och hon var ensam kvar i väntrummet.

Hon steg in till mig, mycket blek, hälsade och blev stående mitt i rummet. Jag gjorde en gest åt en stol, men hon stod kvar.

— Jag narrades sist, sade hon. Jag är inte sjuk: jag är fullkomligt frisk. Det var något helt annat jag ville tala med doktorn om, jag kunde bara inte få fram det då.

En bryggarkärra skramlade förbi nere på gatan, jag gick fram och stängde fönstret, och i den plötsliga tystnaden hörde jag henne säga, lågt och fast, men med en liten darrning på orden, som om hon var nära gråt:

— Jag har fått en så förfärlig avsky för min man.

Jag stod med ryggen mot kakelugnen. Jag böjde på huvudet till tecken att jag följde med.

— Inte som människa, fortfor hon. Han är alltid god och vänlig mot mig; aldrig har han sagt mig ett hårt ord. Men han inger mig en så förfärlig motvilja.

Hon drog djupt efter andan.

— Jag vet inte hur jag skall uttrycka mig, sade hon. Det som jag tänkte begära av doktorn är något så besynnerligt. Och det strider kanske alldeles mot vad ni anser vara rätt. Jag vet ju inte vad doktorn tänker om sådana saker. Men det finns något hos er som inger mig förtroende, och jag vet ingen annan som jag skulle kunna anförtro mig åt i det här fallet, ingen annan i hela världen som skulle kunna hjälpa mig. Skulle doktorn inte kunna tala med min man? Kunde ni inte säga honom att jag lider av

en sjukdom, något underlivslidande, och att han måste av-
stå från sina rättigheter, åtminstone för en tid?

Rättigheter. Jag for med handen över pannan. Jag ser
rött för ögonen, när jag hör det ordet nämnas i den be-
tydelsen. Gud i himlen, hur har det gått till i människor-
nas hjärnor, när de gjorde rättigheter och plikter av detta!

Det stod genast klart för mig, att här måste jag hjälpa,
om jag kunde. Men jag fann icke strax något att säga, jag
ville höra henne tala mera. Det är också möjligt, att min
medkänsla för henne var blandad med en dosis rätt vanlig
och enkel nyfikenhet.

— Förlåt, fru Gregorius, frågade jag, hur länge har ni
varit gift?

— I sex år.

— Och har det som ni kallar er mans rättigheter alltid
känts lika svårt för er som nu?

Hon rodnade litet.

— Det har alltid varit svårt, sade hon. Men nu på sista
tiden har det blivit mig outhärdligt. Jag förmår inte mera,
jag vet inte vad det skall bli av mig, om detta skall fort-
sätta.

— Men, inföll jag, pastorn är ju inte längre ung. Det
förvånar mig att han vid sin ålder kan göra er så mycket
... förtret. Hur gammal är han egentligen?

— Femtiosex år, tror jag — nej, han är kanske femtio-
sju. Men han ser ju äldre ut.

— Men säg mig, fru Gregorius — har ni aldrig själv
talat med honom om detta? sagt honom hur mycket det

plågar er, och bett honom vänligt och vackert att skona
er?

— Jo, en gång har jag bett honom om det. Men han
svarade med en förmaning. Han sade att vi inte kunde ve-
ta, om inte Gud har för avsikt att skänka oss ett barn, fast
vi inte ha fått något hittills, och därför skulle det vara en
mycket stor synd om vi slutade upp med det som Gud vill
att vi skall göra för att få barn... Och han har kanske
rätt. Men det är så svårt för mig.

Jag kunde inte undertrycka ett leende. Vilken inpiskad
gammal skojare!

Hon såg mitt leende, och jag tror att hon missförstod
det. Hon stod tyst ett ögonblick, som om hon betänkte
sig; så började hon tala igen, lågt och darrande, medan
rodnaden steg allt högre och mörkare över hennes hy.

— Nej, ni måste veta allt, sade hon. Ni har kanske re-
dan gissat det, ni ser ju mitt igenom mig. Jag begär ju att
ni skall narras för min skull, då måste jag åtminstone vara
uppriktig mot er. Ni får döma mig hur ni vill. Jag är en
otrogen hustru. Jag tillhör en annan man. Och det är där-
för det har blivit så förfärligt svårt för mig.

Hon undvek min blick, medan hon sade detta. Men jag,
jag såg henne egentligen först nu. Nu först såg jag, att
det stod en kvinna i mitt rum, en kvinna med hjärtat över-
fullt av lust och elände, en ung kvinnoblomma med doft
av kärlek omkring sig och med blygselrodnad över att
doften var så mäktig och stark.

Jag kände att jag bleknade.

Äntligen såg hon upp och mötte min blick. Jag vet inte

vad hon trodde sig läsa i den, men hon kunde icke hålla sig upprätt längre, hon sjönk ner på en stol, skakande av gråt. Kanske trodde hon att jag tog hela saken frivolt, kanske också att jag var likgiltig och hård och att hon till ingen nytta hade blottat sig för en främmande man.

Jag gick fram till henne, tog hennes hand, klappade den sakta: Seså, inte gråta, inte gråta mera nu. Jag vill hjälpa er. Jag lovar er det.

— Tack, tack...

Hon kysste min hand, hon vätte den med sina tårar. Bara en våldsam snyftning till, så lyste det upp ett leende genom gråten.

Jag måste le.

— Men ni var dum som talade om det där sista, sade jag. Inte för att ni behöver vara rädd att jag missbrukar ert förtroende; men sådant skall man hålla hemligt. Alltid, utan undantag, så länge man kan. Och jag hade naturligtvis hjälpt er ändå.

Hon svarade:

— Jag v i l l e säga det. Jag ville, att någon som jag aktar högt och ser upp till skulle veta det och likväl inte förakta mig.

Så kom en lång historia: hon hade en gång för ungefär ett år sedan hört på ett samtal mellan mig och hennes man, pastorn — han var dålig, och jag var där på sjukbesök. Vi hade kommit att tala om prostitutionen. Hon mindes allt vad jag hade sagt och upprepade det för mig — det var något mycket enkelt och vanligt, dessa stackars flickor äro också människor och böra behandlas som människor

o. s. v. Men hon hade aldrig hört någon tala så förr. Se-
dan dess hade hon sett upp till mig, och det var därför hon
nu hade fått mod att anförtro sig åt mig.

Allt det där hade jag glömt, totalt... Gömt i snö, kom-
mer upp i tö.

Jag lovade alltså att tala med hennes man ännu samma
dag, och hon gick. Men hon hade glömt handskar och pa-
rasoll, hon kom tillbaka och hämtade dem och försvann
igen. Hon strålade och lyste, glad och yr som ett barn, som
har fått sin vilja fram och som väntar sig något mycket ro-
ligt.

*

Jag gick dit på eftermiddagen. Hon hade förberett ho-
nom; det var överenskommet. Jag hade ett samtal med
honom i enrum. Han var ännu gråare i ansiktet än vanligt.

— Ja, sade han, min hustru har ju redan sagt mig hur
det står till. Jag kan inte säga hur ont det gör mig om
henne. Vi hade så innerligt hoppats och önskat, att vi en
gång skulle få ett litet barn. Men jag vill inte vara med
om skilda sovrum, det måste jag bestämt säga ifrån. Det
är ju så ovanligt i våra kretsar, det skulle bara ge anled-
ning till prat. Och jag är ju för resten en gammal man.

Han hostade ihåligt.

— Ja, sade jag, jag betvivlar naturligtvis inte att pastorn
sätter sin hustrus hälsa framför allt annat. Och för övrigt
är det ju gott hopp om att vi skall kunna få henne frisk
igen.

— Det ber jag till Gud om, svarade han. Men hur länge tror doktorn att det kan dra om?

— Det är svårt att säga. Men ett halvt års absolut avhållsamhet blir säkert nödvändigt. Sedan få vi ju se...

Han har ett par smutsbruna fläckar i ansiktet; de blevo ännu mörkare och tydligare nu mot den färglösa hyn, och ögonen liksom krympte ihop.

*

Han har varit gift en gång förr; bra synd att hon dog, den första hustrun! I hans arbetsrum hänger ett porträtt av henne i svartkritsförstoring: en simpel och knotig och "fromsinnlig" pigtyp, inte alltför olik den goda Katarina von Bora.

Hon passade honom säkert. Synd att hon dog!

21 juni.

Vem är den lycklige? Det har jag nu frågat mig sedan i förrgår.

Besynnerligt, att jag skulle få veta det så snart, och att det just skulle vara en ung man som jag känner, om än flyktigt. Det var Klas Recke.

Ja, ja, det är verkligen något helt annat än pastor Gregorius.

Jag mötte dem nyss, på min kvällspromenad. Jag gick utan mål genom gatorna i den varma rosenskymningen,

gick och tänkte på henne, den lilla kvinnan. Jag tänker of-
ta på henne. Jag kom in på en tom och avsides gata —
där såg jag dem plötsligt komma emot mig. De kommo
ut ur en port. Jag drog hastigt upp näsduken och snöt mig
för att dölja mitt ansikte. Det var för resten onödigt; han
känner visst knappt igen mig, och hon såg mig icke, hon
var blind av lycka.

22 juni.

Jag sitter och läser bladet som jag skrev i går afton, lä-
ser det om och om igen, och jag säger till mig själv: så,
gamle vän, du har alltså blivit kopplare?

Dumheter. Jag har befriat henne ur något förfärligt. Jag
kände det som något som m å s t e göras.

Vad hon så gör med sig själv är hennes sak.

23 juni.

Midsommarnatt. Ljusa, blå natt. Jag minns dig ju från
barndomen och ungdomen som den lättaste, yraste, lufti-
gaste av alla årets nätter, varför är du så kvav och ängs-
lande nu?

Jag sitter vid fönstret och tänker över mitt liv, forskar
efter orsaken varför det kom att gå i en så helt annan fåra
än alla de andras, så långt på sidan om allmänna vägen.

Låt mig tänka.

Nyss, då jag gick hemåt över kyrkogården, såg jag åter

en av dessa scener, om vilka de moraliska insändarna i pressen bruka säga, att de trotsa all beskrivning. Det är tydligt, att en drift, som kan förmå dessa stackars människor att väcka allmän förargelse på en kyrkogård, måste vara oerhört mäktig och stark. Den driver lättsinniga män till alla slags galenskaper, och hederliga och förståndiga män driver den till att underkasta sig stora umbäranden och försakelser i andra hänseenden. Och den driver kvinnorna till att övervinna den blygselkänsla, som all flickuppfostran i generationer efter generationer har varit anlagd på att väcka och förstärka, till att uthärda förfärliga kroppsliga lidanden, och ofta till att störta sig på huvudet i det djupaste elände.

Blott mig har den ännu icke drivit till någonting. Hur är det möjligt?

Mina sinnen vaknade först sent, vid en tidpunkt, då min vilja redan var en mans vilja. Jag var mycket ärelysten som barn. Jag vande mig tidigt vid självbehärskning, vid att göra skillnad mellan det som var min innersta och konstanta vilja, och det som var viljan för stunden, ögonblickets lust; att lyssna till den ena rösten och att ringakta den andra. Jag har sedan märkt, att detta är något rätt sällsynt bland människorna, kanske mera sällsynt än talang och geni, och det förefaller mig därför ibland, som om jag egentligen borde ha blivit något ovanligt och betydande. Jag var ju också ett stort ljus i skolan; ständigt yngst i klassen, student vid femton år och medicine licentiat vid tjugutre. Men där stannade jag. Inga fortsatta specialstudier, ingen doktorsdisputation. Folk ville nog låna mig pengar, hur mycket som helst nästan; men jag var trött. Jag kände ingen lust att specialisera mig ytterligare, och jag ville förtjäna mitt bröd. Skolgossens ärelystnad efter vackra betyg var mättad och dog bort, och besynnerligt nog, det kom aldrig en mans ärelystnad i stället. Jag tror det berodde på att det var då jag började tänka. Jag hade inte haft tid till det förut.

Men under hela den tiden låg mitt driftliv i en halvslummer, levande nog att väcka obestämda drömmar och begär, som hos en ung flicka, men icke mäktigt och bjudande som hos andra unga män. Och om jag också emellanåt vakade en natt igenom i heta fantasier, föreföll det mig dock alltid otänkbart att jag skulle kunna finna tillfredsställelse hos de kvinnor som mina kamrater besökte, kvinnor, som de ibland hade pekat ut för mig på gatorna och som föreföllo mig motbjudande. Det gjorde väl också till, att min fantasi alltid hade fått växa på egen hand och sköta sig själv nästan utan all beröring med kamraternas. Jag var ju alltid så mycket yngre än de, jag förstod i början ingenting när de talade om sådana saker, och emedan jag ingenting förstod, vande jag mig att icke höra på. Så förblev jag "ren". Icke ens gossårens synder gjorde jag någonsin bekantskap med, visste knappt ens vad det var. Jag hade ingen religiös tro som höll mig tillbaka, men jag gjorde mig drömmar om kärleken, o, mycket vackra drömmar, och jag var viss om att de skulle förverkligas en gång. Jag ville inte sälja min förstfödslorätt för en grynvälling, ville inte smutsa min vita mössa.

Mina drömmar om kärleken — det tycktes mig en gång

att de voro så nära, så nära att bli verklighet. Midsommarnatt, underliga bleka natt, alltid väcker du upp det minnet igen, det minnet som egentligen är mitt livs enda, det enda som står när allting annat sjunker undan och blir stoft och ingenting. Och ändå var det så obetydligt, det som skedde. Jag var ute på min morbrors lantställe över midsommarhelgen. Där var ungdom och dans och lekar. Bland ungdomsskaran fanns en flicka, som jag hade träffat några gånger förr, på bjudningar i familjer. Jag hade icke tänkt på henne mycket förut, men då jag nu såg henne där, rann det mig plötsligt i sinnet vad en kamrat till mig hade sagt om henne en gång på en bjudning: den där flickan har allt ett gott öga till dig, hon har suttit och sett på dig hela kvällen. Detta erinrade jag mig nu, och fast jag inte trodde det utan vidare, gjorde det i alla fall att jag såg mera på henne än jag kanske annars skulle ha gjort, och jag märkte också att hon såg på mig ibland. Hon var kanske inte vackrare än många andra, men hon stod i de tjugu årens fulla blomma, och hon hade ett tunt vitt blusliv över det unga bröstet. Vi dansade några gånger med varandra kring majstången. Inemot midnatt gingo vi allesammans upp på ett berg för att se på utsikten och tända ett midsommarbål, och det var meningen att vi skulle stanna där tills solen gick upp. Vägen gick genom skogen mellan höga raka tallar; vi gingo par om par, och jag gick med henne. Då hon snubblade mot en trädrot i skogsdunklet räckte jag henne min hand, det gick en ilning av glädje igenom mig då jag kände hennes lilla mjuka, fasta, varma hand i min, och jag behöll den sedan också där vägen blev

jämn och lätt. Vad talade vi om? Jag vet inte, inte ett ord
har stannat i mitt minne, jag minns bara att det gick som
en hemlig ström av tyst och beslutsam hängivenhet genom
hennes röst och genom alla hennes ord, som om detta att
hon gick där i skogen hand i hand med mig var något som
hon länge hade drömt om och hoppats på. Vi kommo upp
på berget, andra ungdomar voro där före oss och hade re-
dan tänt bålet, och vi lägrade oss i grupper och parvis här
och där. Från andra höjder och berg flammade andra el-
dar. Över oss hängde rymden stor och ljus och blå, nedan-
för lågo vikarna och sunden och den vida fjärden isigt
blanka och djupa. Jag höll ännu alltjämt hennes hand i
min, jag tror också att jag vågade smeka den sakta. Jag
betraktade henne förstulet och såg, att hennes hy glödde
i nattens blekhet och ögonen stodo fulla av tårar, men hon
grät icke, hon andades jämnt och lugnt. Vi sutto tysta,
men inom mig sjöng det, en sång, en gammal visa som kom
för mig, jag vet inte hur:

Det brinner en eld, han brinner så klart, han flammar som
             tusen kransar —
skall jag in i elden gå och med min käraste dansa?

Vi sutto länge så. En och annan av de andra reste sig och
gick hemåt, och jag hörde någon säga: det är stora moln i
öster, vi få inte se någon soluppgång. Skaran på berget
glesnade, men vi sutto kvar, till sist voro vi ensamma. Jag
såg på henne länge, och hon mötte stadigt min blick. Då
tog jag hennes huvud mellan mina händer och kysste hen-

ne, en lätt och oskyldig kyss. I detsamma var det någon som ropade henne, hon ryckte till, gjorde sig lös och sprang sin väg, sprang på lätta fötter nedåt genom skogen.

Då jag hann upp henne var hon redan bland de andra, jag kunde bara trycka hennes hand i tysthet, och hon tryckte min tillbaka. Därnere på ängen gick dansen ännu kring majstången, pigor och drängar och herrskapsfolkets ungdom om varandra, som det brukas den enda natten på året. Jag förde henne i dansen på nytt, en vild och yr dans blev det; det var redan full dager, men med midsommar-nattens häxeri ännu kvar i luften, hela jorden dansade un-der oss, och de andra paren susade förbi än högt över oss, än långt nedanför, allt gick upp och ner och runt omkring. Så kommo vi till sist ut ur de dansandes virvel, vi vågade icke se på varandra men smögo oss bort tillsammans utan ett ord, bakom en syrenhäck. Där kysste jag henne åter. Men det var något annat nu, hennes huvud låg tillbaka-lutat mot min arm, hon slöt ögonen, och hennes mun blev ett levande väsen under min kyss. Jag tryckte min hand mot hennes bröst, och jag kände hennes hand lägga sig över min — kanske var det hennes mening att värja sig, att föra undan min hand, men i verkligheten tryckte hon den blott hårdare mot sitt bröst. Men under tiden steg det ett skimmer över hennes ansikte, först svagt, sedan starkare, till sist som ett våldsamt eldsken, hon öppnade ögonen men måste sluta dem på nytt, bländad, och när vi så äntligen hade kysst den långa kyssen till slut, stodo vi kind mot kind och stirrade häpna rakt in i solen, som bröt fram ur molnskockarna i öster.

Sedan såg jag henne aldrig mera. Det är tio år sedan dess, tio år just i natt, och ännu i dag blir jag sjuk och galen när jag tänker på detta.

Vi stämde inte något möte till dagen därpå, vi tänkte inte på det. Hennes föräldrar bodde på ett ställe i närheten, och vi togo det som något självklart att vi skulle träffas och vara tillsammans dagen därpå, alla dagar, hela livet. Men nästa dag blev en regndag, den gick utan att jag såg henne, och på kvällen måste jag resa in till staden. Där läste jag ett par dagar senare i en tidning, att hon var död. Drunknad under badning, hon och en annan ung flicka.

— — — Ja, ja, det är nu tio år sedan dess.

Jag var bedrövad först. Men jag måste egentligen vara en rätt stark natur. Jag arbetade som förut, jag tog min examen på hösten. Men jag led också. Jag såg henne för mig om natten, ständigt. Jag såg den vita kroppen ligga bland sjögräs och slam och lyftas upp och ner i vattnet. Ögonen stodo vidöppna, och öppen stod munnen som jag hade kysst. Så kom det människor i en båt, med en dragg. Och draggen fäste sin klo i hennes bröst, i samma unga flickbröst som min hand hade smekt så nyss.

Det drog lång tid om efter detta, innan jag åter kände något av att jag var man och att det fanns kvinnor till i världen. Men då var jag härdad. Nu hade jag dock en gång känt en gnista från den stora flamman, och jag var mindre än någonsin böjd för att hålla till godo med talmikärlek. Andra må vara mindre nogräknade i den punkten, det får bli deras sak, och jag vet inte om hela frågan har någon så stor betydelse. Men jag kände, att den hade betydel-

se för mig. Och det vore dock väl naivt att tro, att icke
en mans vilja skulle kunna reglera dessa bagateller, om
blott viljan finns där. Käre Martin Luther, du pastor Gre-
gorius' värdige lärofader, vilken syndare i köttet måste du
inte ha varit, eftersom du pratade så mycket dumheter när
du kom in på det kapitlet. Men du var dock uppriktigare
än dina bekännare nu för tiden, och det skall man alltid
hålla dig räkning för.

Så gick det år efter år, och livet drog mig förbi. Jag såg
många kvinnor som tände min längtan på nytt men just
de kvinnorna märkte aldrig mig, det var som om jag inte
fanns till för dem. Hur kom det sig? Jag tror att jag för-
står det nu. En kvinna, som älskar, har just den förtrollning
över sin gång och sin hy och över hela sitt väsen, som tar
mig fången. Det var alltid sådana kvinnor som tände mitt
begär. Men eftersom de redan älskade andra män, kunde
de ju icke se mig. Andra sågo i stället på mig; jag var ju
utexaminerad läkare vid unga år och med början till en
god praktik, jag ansågs följaktligen för ett utmärkt parti
och blev naturligtvis föremål för en hel del efterhängsen-
het. Men det var nu alltid spilld möda.

Ja, åren gingo, och livet drog mig förbi. Jag verkar i
mitt kall. Människorna komma till mig med sina sjukdo-
mar, alla sorter, och jag kurerar dem så gott jag kan. Någ-
ra bli friska, andra dö, de flesta släpa sig vidare med sina
krämpor. Jag gör inga underkurer; en och annan, som jag
icke har kunnat hjälpa, har vänt sig från mig till kloka
gubbar och till notoriska charlataner, och blivit frisk. Men
jag tror man anser mig för en samvetsgrann och försiktig

läkare. Snart är jag väl den typiske husläkaren, han med den stora erfarenheten och den lugna, förtroendeväckande blicken. Människorna skulle kanske ha mindre förtroende för mig om de visste hur illa jag sover.

Midsommarnatt, ljusa blå natt, du var ju dock förr så lätt och luftig och yr, varför ligger du nu som en ångest över mitt bröst?

28 juni.

På min kvällspromenad i afton kom jag förbi Grand Hôtel, där satt Klas Recke vid ett bord på trottoaren, ensam med sin visky. Jag fortsatte ännu några steg, så vände jag om och tog plats vid ett bord i närheten för att iakttaga honom. Han såg mig icke, eller ville icke se mig. Den lilla kvinnan har naturligtvis berättat för honom om sitt besök hos mig och om det lyckliga resultatet — för det senare är han förmodligen tacksam, men det gör honom kanske litet obehag att veta, att det finns en som är invigd i hemligheten. Han satt orörlig och såg ut över strömmen och rökte på en mycket lång och smal cigarr.

Det gick en tidningspojke förbi; jag köpte ett Aftonblad att begagna till skyddande förklädnad och betraktade honom över tidningskanten. Och åter for det igenom mig samma tanke som då jag för många år sedan såg honom för första gången: varför har den mannen fått just det ansiktet, som jag borde ha haft? Så ungefär skulle jag se ut, om jag kunde göra om mig själv? Jag, som på den tiden led så bittert av att jag var ful som hin onde. Nu gör det mig detsamma.

Jag har knappt sett en vackrare man. Kalla, ljusgrå ögon, men i en inramning som gör dem drömmande och djupa. Alldeles raka och horisontala ögonbryn, som gå långt bort-åt tinningarna; en marmorvit panna, ett mörkt och rikt hår. Men i ansiktets nedre hälft är munnen det enda som är fullkomligt vackert, eljest finns där några små bisarre-rier, en oregelbunden näsa, en mörk och liksom förbränd hy, kort sagt allt som behövs för att rädda honom från det slags felfri skönhet, som mest väcker löje.

Hur ser den mannen ut inuti? Det vet jag så gott som ingenting om. Jag vet bara att han gäller för att vara ett mycket gott huvud, ur vanlig karriärsynpunkt sett, och jag tror mig minnas, att jag oftare har sett honom i säll-skap med hans överordnade i departemanget, där han tjänstgör, än med hans jämnåriga kamrater.

Det for hundra tankar igenom mig när jag såg på ho-nom, där han satt orörlig med blicken ut i det obestämda — sitt glas rörde han icke, och cigarren höll på att slock-na. Hundra gamla drömmar och fantasier vaknade på nytt, när jag tänkte på det liv som är hans och jämförde det med mitt eget. Ofta har jag sagt till mig själv: b e g ä r e t är det ljuvaste i världen och det enda som en liten smula kan förgylla upp detta eländiga liv; men begärets tillfreds-ställelse måtte det inte vara mycket bevänt med, att döma av alla dessa konsuler och generalkonsuler som i den vä-gen icke neka sig något och som likväl aldrig ha ingivit

mig någon avund. Men när jag ser en man sådan som han
därborta, känner jag en bitter avund längst inne. Det pro-
blem, som förgiftade min ungdom och som tynger mig
ännu långt in i mannaåren, har för honom löst sig av sig
själv. Det är sant, det har det väl också gjort för de flesta
andra, men den lösningen på problemet inger mig icke av-
und, utan äckel, eljest skulle det för länge sedan vara löst
också för mig. Men honom har kvinnornas kärlek ända
från början fallit till som en naturlig rätt, aldrig har han
stått i valet mellan hunger och ruttet kött. Jag tror knappt
heller att han någonsin har hunnit med att tänka särdeles
mycket, aldrig har han fått tid att låta reflexionen drypa
gift i sitt vin. Han är lycklig, och honom avundas jag.

Och jag tänkte också med en frysning på henne, på Hel-
ga Gregorius, jag såg hennes lyckodränkta blick genom
skymningen. Ja, de två höra ihop, det är naturligt urval. —
Gregorius; varför skall hon släpa det namnet och den män-
niskan med sig genom livet? Det är ju meningslöst.

Det började skymma, det föll ett rött aftonsken över
den sotflammiga slottsfasaden. Det gick människor förbi
på trottoaren; jag lyssnade till deras röster, det var magra
yankees med sin suddiga slang, små feta handelsjudar med
sina nasaltoner och vanligt borgarfolk med belåtna lör-
dagsaftonstonfall i rösten. En och annan nickade åt mig
och jag nickade tillbaka, en och annan lyfte på hatten, och
jag lyfte på min hatt. Några bekanta slogo sig ned vid ett
bord alldeles intill mitt, det var Martin Birck och Markel
och en tredje herre, som jag har träffat någon gång, men
vars namn jag har glömt eller kanske aldrig vetat — han

är mycket flintskallig, och när jag har träffat honom förut har det varit inomhus, därför kände jag inte igen honom förrän han tog av sig hatten för att hälsa. Recke nickade åt Markel, som han känner, och reste sig strax efteråt för att gå. Då han kom nära mitt bord, tycktes han plötsligt känna igen mig och hälsade ytterst artigt, men litet främmande. Vi voro du i Uppsala, men det har han glömt.

Sällskapet bredvid började genast tala om honom så snart han var utom hörhåll, och jag hörde den flintskallige herrn vända sig till Markel och fråga:

— Jaså, du känner den där Recke, det lär ju vara en framtidsman — det sägs att han är ärelysten?

Markel: — Ja, ärelysten... Om jag skall kalla honom ärelysten så är det väl mest för vår stora vänskaps skull, annars uttrycker man sig nog riktigare om man säger, att han vill komma fram. Ärelystnad är något så sällsynt. Vi ha vant oss att kalla en person för ärelysten om han vill bli statsråd. Statsråd, vad är det? Inkomster som en mindre grosshandlare och knappt så mycket makt att han kan hjälpa fram sina släktingar, långt mindre driva igenom sina idéer, om han har några. Det hindrar naturligtvis inte att jag själv gärna skulle vilja bli statsråd, det är ju alltid en förmånligare plats än den jag har — men man skall bara inte kalla det ärelystnad. Det är något annat. På den tiden då jag var ärelysten gjorde jag upp en för resten mycket vackert uttänkt plan att erövra hela jorden och ordna om förhållandena, så att allt blev som det skulle vara; och när det så till sist blev så bra, att det nästan började bli tråkigt, då skulle jag stoppa på mig så mycket pengar

jag behövde och smyga mig bort, försvinna i någon mil-
lionstad och sitta i ett kaféhörn och dricka absint och ha
min glädje av att se på hur galet allting gick sedan jag
drog mig tillbaka... Men jag tycker nu om Klas Recke
i alla fall, därför att han är vacker, och därför att han har
en ovanlig talang att ställa det litet hyggligt och trevligt
för sig här i jämmerdalen.

Ja, Markel; han är sig lik i det hela. Han är politiker i
en stor tidning nu och skriver ofta i upprymd sinnesstäm-
ning artiklar, som äro ämnade att läsas på allvar och som
ibland också förtjäna det. Litet orakad och ruggig om för-
middagarna, men alltid elegant om kvällarna och med ett
humör, som lyser upp samtidigt med gaslyktorna. Bredvid
honom satt Birck med frånvarande ögon, klädd i en stor
regnkappa mitt i värmen; han drog den omkring sig med
en frusen gest.

Markel vände sig till mig och frågade vänligt om jag
ville slå mig ned i en utvald krets av gamla alkoholister.
Jag tackade och svarade, att jag strax skulle gå hem. Det
var också min mening, men jag kände i verkligheten ingen
längtan efter mina ensamma rum, jag satt ännu länge kvar
och lyssnade till musiken från Strömparterren, som tydlig
och stark trängde fram genom den kvällstysta staden, och
jag såg hur slottet speglade sina blinda och stirrande föns-
terrader i strömmen — ty det är ingen ström just nu, den
ligger blank som en skogstjärn. Och jag såg på en liten
blå stjärna som stod och darrade över Rosenbad. Jag hörde
också på samtalet vid bordet bredvid. De talade om kvin-
norna och om kärleken, och frågan gällde, vad som är den

viktigaste förutsättningen för att man skall kunna ha rik-
tigt roligt med en kvinna.

Den flintskallige herrn sade: Att hon är sexton år, att
hon är svarthårig och mager, och att hon har ett hett blod.

Markel, med ett drömmande uttryck: Att hon är tjock
och mullig.

Birck: Att hon håller av mig.

Nej, detta börjar bli ohyggligt. Åter stod fru Gregorius i mitt rum i dag, vid tiotiden på morgonen. Hon såg blek och förstörd ut, och ögonen stirrade så stora emot mig. — Hur är det, frågade jag ovillkorligen, vad har hänt — har det hänt något?

Hon svarade, lågt:

— I natt tog han mig med våld. Så gott som med våld.

Jag satte mig i min stol vid skrivbordet, min hand fingrade visst med en penna och en papperslapp, som om jag tänkte skriva ett recept. Hon satte sig i ett soffhörn. — Stackars liten, sade jag, liksom för mig själv. Jag kunde icke hitta på något att säga.

Hon sade:

— Jag är gjord att trampas på.

Vi tego ett ögonblick, så började hon berätta. Han hade väckt henne mitt i natten. Han hade inte kunnat somna. Han tiggde och bad; han grät. Han talade om att hans salighet stod på spel, han visste inte vilka svåra synder han kunde komma att begå, om hon inte gjorde honom till viljes. Det var hennes plikt att göra det, och plikten gick före hälsan. Gud skulle hjälpa dem, Gud skulle göra henne frisk i alla fall.

Jag satt stum av häpnad.

— Är han då en hycklare? frågade jag.

— Jag vet inte. Nej, det tror jag inte. Men han har vant sig att begagna Gud till allt möjligt, som det bäst passar sig för honom. Det göra de alltid, jag känner ju så många präster. Jag hatar dem. Men han är ingen hycklare, tvärtom, han har visst alltid ansett det som något självklart, att hans religion är den rätta, och snarare tror han att de som förkasta den måste vara bedragare, elaka människor, som ljuga med flit för att föra andra i fördärvet.

Hon talade lugnt, bara med en liten darrning i rösten, och det hon sade överraskade mig på ett sätt; jag hade icke vetat förr, att denna lilla kvinnovarelse tänkte, att hon kunde bedöma en man, sådan som den hon talade om, så klart och liksom utifrån, fast hon ju måste känna ett dödligt hat till honom, en djup vämjelse. Jag kände vämjelsen och hatet i hennes rösts darrning och i alla hennes ord, och det smittade också mig, medan hon berättade saken till slut: hon ville stiga upp, klä på sig, gå ut, gå ute på gatan hela natten tills det blev morgon; men han höll henne fast, och han var stark, han släppte henne icke — — —

Jag kände att jag blev het, mina tinningar bultade. Jag hörde en röst inom mig så tydligt, att jag nästan blev rädd för att jag tänkte högt, en röst som viskade mellan tänderna: Akta dig präst! Jag har lovat den lilla kvinnan där, den lilla kvinnoblomman med det ljusa silkeshåret, att jag skall skydda henne mot dig. Akta dig, ditt liv är i min hand och jag vill, jag kan göra dig salig förrän du önskar. Akta dig präst, du känner mig inte, mitt samvete har inte den ringaste likhet med ditt, jag är min egen domare, jag är av en människosort som du inte anar att den finns till!

Satt hon verkligen och lyssnade till mina hemliga tankar? Det gick en liten isning igenom mig, när jag plötsligt hörde henne säga:

— Jag skulle kunna mörda den mannen.

— Kära fru Gregorius, svarade jag småleende, det är ju ett talesätt naturligtvis, men man bör inte begagna det ens som sådant.

Jag hade så när sagt: allra minst som sådant.

— Men, fortsatte jag nästan i samma andedrag, för att vika in på ett annat ämne, men säg mig hur gick det egentligen till att ni blev gift med pastor Gregorius? Påtryckning från föräldrarna, eller kanske ett litet konfirmationssvärmeri?

Hon skakade till som av en frysning.

— Nej, ingenting av allt detta, sade hon. Det skedde så besynnerligt, det var ingenting sådant som ni kan gissa er till eller förstå av er själv. Jag var naturligtvis aldrig kär i honom, aldrig det ringaste. Inte ens den vanliga flickförtjusningen för konfirmationsprästen — ingenting alls. Men jag skall försöka berätta och förklara alltsammans för er.

Hon makade sig längre in i soffhörnet och satt där hopkrupen som en liten flicka. Och med en blick, som såg förbi mig och ut i det obestämda, började hon tala.

— Jag var så lycklig i min barndom och min första ungdom. Den tiden står för mig som en saga, när jag tänker på den. Alla tyckte om mig, och jag höll av alla och trodde alla om gott. Så kom den där åldern, ni vet. Men det gjorde ingen förändring i början, jag var ännu alltjämt lycklig, ja lyckligare än förut — ända till mitt tjugonde år. En ung

flicka har också sin sinnlighet, det förstår ni nog, men i
den allra första ungdomen gör den henne bara lycklig. Åt-
minstone var det så med mig. Blodet sjöng i mina öron,
och jag sjöng också själv — sjöng ständigt, när jag gick i
mina sysslor i hemmet, och smågnolade när jag gick på
gatan... Och jag var jämt förälskad. Jag hade växt upp
i ett mycket religiöst hem; men jag trodde ändå inte att
det var någon så förfärligt svår synd att kyssas. När jag
var förälskad i någon ung man och han kysste mig, så lät
jag det ske. Jag visste ju också att det fanns något annat,
som man måste akta sig för och som var en förfärlig synd,
men det stod för mig som något så oklart och avlägset, och
det frestade mig inte. Nej, inte alls; jag förstod inte ens
att det kunde fresta någon, jag trodde bara att det var nå-
got som man måste underkasta sig när man var gift och
skulle ha barn, men ingenting som kunde ha någon bety-
delse i och för sig. Men när jag var tjugu år blev jag myc-
ket förälskad i en man. Han såg bra ut och var god och
fin — åtminstone trodde jag det då, och jag tror det än-
nu när jag tänker på honom. Ja, det måste han vara — han
gifte sig sedan med en ungdomsväninna till mig, och han
har gjort henne mycket lycklig. — Det var en sommar vi
träffades, på landet. Vi kysstes. En dag förde han mig med
sig långt in i skogen. Där försökte han förföra mig, och
det var nära att han lyckats. O, om han hade lyckats, om
jag inte hade sprungit min väg — vad allting kunde vara
annorlunda då mot nu! Då hade jag kanske blivit gift med
honom — åtminstone hade jag aldrig blivit gift med den,
som nu är min man. Jag hade kanske fått små barn och

ett hem, ett verkligt hem; aldrig hade jag då behövt bli en otrogen hustru. — Men jag blev alldeles vild av blygsel och förskräckelse, jag vred mig ur hans armar och sprang min väg, sprang för brinnande livet.

Det kom en förfärlig tid sedan. Jag ville inte se honom mera, vågade inte se honom. Han sände mig blommor, han skrev brev på brev och bad mig förlåta. Men jag trodde att han var en usling; breven svarade jag inte på, och blommorna kastade jag ut genom fönstret. — Men jag tänkte på honom, ständigt. Och nu var det inte längre bara kyssar jag tänkte på; nu visste jag vad frestelsen var. Jag kände det som om det hade försiggått en förändring med mig, fast ingenting hade skett. Jag föreställde mig att man kunde se det på mig. Ingen kan förstå hur jag led. På hösten, när vi hade flyttat in till staden, var jag ute och gick ensam en eftermiddag i skymningen. Blåsten pep kring husknutarna, och det föll en regndroppe då och då. Jag kom in på den gatan, där jag visste att han bodde, och förbi huset. Jag stannade och såg att det lyste i hans fönster, jag såg hans huvud i lampskenet, lutat över en bok. Det drog mig som en magnet, jag tyckte att det skulle vara så bra att vara där inne, hos honom. Jag smög mig in genom porten och uppför halva trappan — där vände jag om.

Om han hade skrivit till mig i de dagarna, skulle jag ha svarat. Men han hade tröttnat på att skriva och aldrig få svar, och sedan träffades vi aldrig — inte på många år, och då var ju allting så annorlunda.

Jag har visst redan sagt er, att jag var mycket religiöst uppfostrad. Nu sjönk jag alldeles ner i religionen, jag blev sjuksköterskeelev, men måste sluta därför att min hälsa hade blivit klen; så var jag åter hemma, gick i mina sysslor där i hemmet som förut och drömde och längtade och bad Gud befria mig från mina drömmar och min längtan. Jag kände att det som var var outhärdligt, att en förändring måste ske. Så en dag fick jag veta av far, att pastor Gregorius hade begärt mig till hustru. Jag stod alldeles häpen, han hade aldrig närmat sig till mig på något sådant sätt att jag kunnat ana något. Han hade umgåtts länge hos oss, mor beundrade honom, och far var litet rädd för honom, tror jag. Jag gick in i mitt rum och grät. Det var alltid något hos honom som bjöd mig emot på ett särskilt sätt, och jag tror att det just var detta som gjorde att jag till sist bestämde mig för att säga ja. Ingen lade något tvång på mig, ingen övertalade mig. Men jag trodde att det var Guds vilja. Man hade ju lärt mig att tro, att Guds vilja alltid var det, som allra mest bjöd vår egen vilja emot. Ännu natten förut hade jag ju legat vaken och bett till Gud om befrielse och ro. Jag trodde nu, att han hade hört mina böner — på sitt sätt. Jag tyckte mig se hans vilja lysa alldeles klart för mina ögon. Jag trodde, att vid den mannens sida skulle min längtan slockna och mina begär dö bort, och att det var på det sättet Gud hade ordnat det för mig. Och att han var en god och bra man var jag ju säker på, eftersom han var präst.

Det gick ju annorlunda. Han kunde icke döda mina drömmar, han kunde bara smutsa dem. I stället dödade han så småningom min tro. Det är det enda jag kan tacka honom för, ty jag längtar icke tillbaka till den. När jag nu tänker på den, förefaller den mig bara besynnerlig. Allt det som man längtade efter, allt som var ljuvt att tänka på, det var synd. En mans famntag var synd, om man längtade efter det och gärna ville det; men om man fann det oskönt och motbjudande, ett gissel, en plåga, ett äckel — då var det synd att i c k e vilja det! Säg, doktor Glas, är det inte besynnerligt?

Hon hade talat sig varm och het. Jag nickade åt henne över glasögonen:

— Jo, nog är det besynnerligt.

— Eller säg, tror ni att min kärlek nu är synd? Den är inte bara lycka, den är kanske mera ångest, men tror ni att den är synd? Om den är synd, då är allt hos mig synd, eftersom jag inte kan upptäcka något hos mig, som är bättre och värdefullare än den. — Men det förvånar er kanske att jag sitter här och talar med er om detta. Jag har ju en annan att tala med. Men när vi träffas är tiden så kort, och han talar så litet med mig — hon rodnade plötsligt — han talar så litet med mig om det, som jag mest tänker på.

Jag satt lugn och tyst med huvudet i handen och betraktade henne genom halvslutna ögonlock, där hon satt i mitt soffhörn, blommande röd under det stora gula håret. Jungfru Sammetskind. Och jag tänkte: om det nu vore för mig hon kände så, att tiden inte räckte till för att tala. När hon nu börjar tala härnäst — så tänkte jag — då går jag fram till henne och sluter till hennes mun med en kyss. Men hon satt tyst nu. Dörren stod halvöppen till det stora väntrummet, och jag hörde min hushållerskas steg i korridoren.

Jag bröt tystnaden:

— Men säg mig, fru Gregorius, har ni aldrig tänkt på skilsmässa? Ni är ju inte bunden vid er man av något ekonomiskt nödtvång — er far lämnade ju förmögenhet efter sig, ni var enda barnet, och er mor lever ännu, i goda omständigheter, inte sant?

— Ack, doktor Glas, ni känner honom inte. Skilsmässa — en präst! Han skulle aldrig gå in på det, aldrig, vad jag än gjorde, vad som än hände. Han skulle hellre "förlåta" mig sju och sjuttio resor, och upprätta mig och allt möjligt... Han skulle vara i stånd till att hålla förböner för mig i kyrkan. — Nej, jag är gjord att trampas på.

Jag reste mig:

— Ja, kära fru Gregorius, hur vill ni att jag skall göra nu? Nu ser jag ingen utväg mera.

Hon skakade rådvill på huvudet.

— Jag vet inte. Jag vet ingenting mera. Men jag tror att han kommer hit till doktorn i dag, för sitt hjärta; han talade om det i går. Kunde ni inte säga honom något ännu en gång? Men naturligtvis utan att låta honom ana att jag har varit här i dag och talat med er om detta?

— Ja — vi få se.

Hon gick.

Då hon hade gått, tog jag till ett häfte av en facktidskrift för att förströ mig. Men det hjälpte inte, jag såg henne alltjämt för mig, såg henne sitta uppkrupen där i soffhörnet och berätta om sitt öde och om hur det gick till, att hon råkade komma så alldeles på galen kant här i världen. Vems var felet? Var det den mannens, som ville

förföra henne i skogen en sommardag? Ack, vad har man-
nen för uppgift gent emot kvinnan annat än att förföra
henne, det må nu ske i skogen eller i brudsängen, och se-
dan hjälpa och stödja henne i allt, som följer av förförel-
sen. Vems var då felet — var det prästens? Han hade ju
bara begärt henne, som myriader män ha begärt myriader
kvinnor, begärt henne i tukt och ära till på köpet, som det
heter på hans besynnerliga språk — och hon hade sam-
tyckt, utan att veta eller förstå, bara i förtvivlan och un-
der påverkan av den besynnerliga begreppsförvirring som
hon hade växt upp i. Hon var inte vaken då hon gifte sig
med den människan, hon gjorde det i sömnen. I drömmen
ske ju ofta de besynnerligaste saker, och de förefalla full-
komligt naturliga och vanliga — i drömmen. Men då man
vaknar och erinrar sig vad man har drömt, häpnar man
och gapskrattar eller ryser. Nu har hon vaknat! Och för-
äldrarna, som dock borde ha vetat vad ett äktenskap är
och som likväl gåvo sitt samtycke och kanske till och med
voro förtjusta och kände sig smickrade — voro de vakna?
Och prästen själv: hade han inte den ringaste känsla av
det onaturliga och grovt oanständiga i sitt förehavande?

Aldrig har jag haft en så stark känsla av att moralen är
en karusell, som går runt. Det visste jag egentligen förut,
men jag hade alltid tänkt mig, att svängningstiderna måste
vara sekler eller tidevarv — nu föreföllo de mig som minu-
ter och sekunder. Det skimrade för mina ögon, och som
den enda ledtråden genom häxdansen förnam jag åter en
gång rösten i mitt inre, rösten som viskade mellan tän-
derna: akta dig, präst!   *

Mycket riktigt. Han kom på mottagningstimmen. Det klack till i mig av en plötslig och hemlig munterhet, när jag öppnade dörren och såg honom sitta där ute i vänt-rummet. Det var bara en patient före honom, en gammal fru som ville ha ett recept förnyat — så blev det hans tur. Han bredde ut rockskörten och tog med långsam värdig-het plats i samma soffhörn, där hans hustru hade suttit uppkrupen några timmar förut.

Han började naturligtvis med att prata en massa strunt, som vanligt. Det var nattvardsfrågan han underhöll mig med. Hjärtfelet kom bara fram i förbigående, i en bisats, och jag fick det intrycket att han egentligen hade kommit för att höra min mening som läkare angående den heliga nattvardens hälsofarlighet, som nu är under debatt i alla tidningar till omväxling med storsjöodjuret. Jag har inte följt med denna diskussion, jag har nog då och då sett en artikel om saken i en tidning och läst den till hälften, men jag var långt ifrån orienterad i ämnet, och det blev i stäl-let pastorn som fick utveckla frågans läge för mig. Vad skall man göra för att förebygga smittoöverföring vid kommunionen? Det var frågan. Pastorn beklagade myc-ket att en sådan fråga hade blivit väckt; men nu var den en gång väckt och måste besvaras. Man kunde tänka sig åtskilliga lösningar på frågan. Det enklaste vore kanske att det för varje kyrka anskaffades ett antal små bägare, som av klockaren kunde rengöras vid altaret efter varje om-gång — men det skulle bli dyrt; kanske till och med omöj-ligt för fattiga landsförsamlingar att anskaffa ett tillräck-ligt antal silverbägare.

Jag anmärkte i förbigående, att det i vår tid, då det re-ligiösa intresset befinner sig i stadigt stigande, och då det anskaffas massor av silverbägare till varenda velocipedtäv-lan, väl inte borde vara omöjligt att anskaffa alldeles lika-dana bägare till ett religiöst ändamål. För resten kan jag inte erinra mig, att det i instiftelseorden till nattvarden fö-rekommer ett enda ord om silver, men den reflexionen be-höll jag för mig själv. — Vidare hade man tänkt sig den möjligheten — fortfor prästen — att varje nattvardsgäst kunde medföra sin bägare eller sitt glas. Men hur skulle det se ut, om den rike kom med en konstnärligt arbetad silverbägare och den fattige måhända med ett brännvins-glas.

Jag tyckte för min del att det kunde se ganska pittoreskt ut, men jag teg och lät honom fortsätta. — Vidare hade en präst av den moderna, frisinnade riktningen föreslagit att taga in vår frälsares blod i kapslar. — Jag undrade först om jag hade hört rätt; i kapslar, som ricinolja? — Ja, i kapslar, kort sagt. Och slutligen hade en hovpredikant konstruerat en alldeles ny sorts nattvardskalk, tagit ut pa-tent på den och bildat ett aktiebolag — pastorn beskrev den utförligt för mig, den tycktes vara byggd på ungefär samma idé som trolleriprofessorernas glas och buteljer. — Nå, pastor Gregorius är för sin del ortodox och inte det ringaste frisinnad, dessa nyheter förefalla honom därför allesammans högst betänkliga, men bacillerna äro ju ock-så betänkliga, och vad skall man göra?

Bacillerna — det gick upp ett ljus för mig då jag hörde honom uttala detta ord. Jag kände alldeles tydligt igen tonfallet, jag erinrade mig att jag hade hört honom tala om baciller någon gång förut, och det stod med ens klart för mig, att han led av den sjukdom som kallas bacill-skräck. Bacillerna stå tydligen i hans ögon på något mystiskt sätt utanför både religionen och den sedliga världsordningen. Det kommer sig av att de äro så nya. Hans religion är gammal, nära nitton hundra år, och den sedliga världsordningen daterar sig åtminstone från århundradets början, från den tyska filosofin och Napoleons fall. Men bacillerna ha kommit över honom på hans ålderdom, alldeles oförberett. De ha i hans föreställning först i dessa yttersta dagar börjat sin obehagliga verksamhet, och det har aldrig fallit honom in, att det efter allt att döma fanns massor av baciller också i det enkla lerkrus, som gick bordet runt vid avskedsmåltiden i Getsemane.

Omöjligt att avgöra, om han är mera får än räv.

Jag vände honom ryggen och lät honom prata medan jag ordnade något i mitt instrumentskåp. Jag bad honom i förbigående att taga av rock och väst, och vad nattvardsfrågan beträffar bestämde jag mig utan långt betänkande för att ge mitt förord åt metoden med kapslarna.

— Jag medger, sade jag, att denna idé i första ögonblicket föreföll litet stötande till och med för mig, oaktat jag inte kan skryta med någon särskilt varm religiositet. Men vid närmare eftertanke måste alla betänkligheter förfalla. Det väsentliga i nattvarden är ju inte brödet och vinet, inte ens kyrksilvret, utan tron; och den äkta tron får naturligtvis inte låta påverka sig av sådana yttre ting som silverpokaler och gelatinkapslar...

Under de sista orden satte jag stetoskopet till hans bröst, bad honom att vara tyst en liten stund och lyssnade. Det var ingenting märkvärdigt jag fick höra, bara den lilla oregelbundenhet i hjärtrörelserna som är så vanlig hos en äldre man, när han fått den vanan att äta litet mera till middagen än han behöver och att sedan rulla ihop sig på en soffa och sova. Det kan komma ett slaganfall en dag, det vet man aldrig, men det är ingen nödvändighet eller ens någon särskilt hotande sannolikhet.

Men jag hade nu en gång föresatt mig att göra ett allvarligt nummer av den här konsultationen. Jag lyssnade mycket längre än jag egentligen behövde, flyttade på hörröret, knackade och lyssnade om igen. Jag märkte hur det pinade honom att sitta tyst och passiv under allt detta — han är ju van att prata jämt, i kyrkan, i sällskap, i sitt hem; han har en avgjord begåvning för att prata, och troligtvis var det just denna lilla talang som först drog honom till hans yrke. Undersökningen var han litet rädd för, han skulle nog helst ha velat fortsätta en stund till med sina nattvardsbaciller för att sedan plötsligt se på klockan och rusa på dörren. Men nu hade jag honom där i soffhörnet, och jag släppte honom inte. Jag lyssnade och teg. Ju längre jag lyssnade, desto krångligare blev hans hjärta.

— Är det allvarligt? frågade han till sist.

Jag svarade icke strax. Jag gick några slag över golvet. Det låg en plan och jäste inom mig, en rätt enkel liten plan i och för sig; men jag har ingen vana vid intrigstycken, därför tvekade jag. Jag tvekade också därför, att planen helt och hållet var byggd på hans dumhet och okunnighet — och var han verkligen dum nog, skulle jag våga? Eller är det för grovt, genomskådar han mig kanske?

Jag avbröt min promenad och betraktade honom ett par sekunder med min allra skarpaste läkarblick. Det gråbleka, slappfeta ansiktet låg i fåraktigt fromma veck, men blicken kunde jag inte fånga, glasögonen reflekterade bara mitt fönster med gardinerna och fikusen. Men jag bestämde mig för att våga. Han må vara räv eller får — tänkte jag — också en räv är dock alltid mycket dummare än en människa. Med honom kunde man bestämt utan risk leka charlatan en liten stund — han tyckte om charlatanfasoner, det märktes tydligt; min tankfulla promenad över golvet och min långa tystnad efter hans fråga hade redan imponerat på honom och gjort honom mjuk.

— Besynnerligt, mumlade jag slutligen liksom för mig själv.

Och jag närmade mig honom på nytt med hörröret:

— Förlåt, tillade jag, jag måste höra efter ännu ett litet tag, för att vara säker på att jag inte misstar mig.

— Ja, sade jag till sist, skall jag döma efter vad jag hör i dag, så är det inte något bra hjärta pastorn har. Men jag tror inte att det är lika dåligt i vardagslag. Jag tror att det har sina speciella skäl att krångla i dag!

Han försökte i en hast göra om sitt ansikte till ett frågetecken, men det ville inte lyckas riktigt. Jag såg strax, att hans onda samvete hade förstått mig. Han gjorde munnen i ordning för att börja tala, kanske för att fråga vad jag menade, men han kom sig inte för, utan hostade bara.

Han ville nog helst undgå en närmare förklaring — men det ville nu inte jag.

— Låt oss vara uppriktiga mot varandra, pastor Gregorius, började jag. Han hoppade till av förskräckelse vid denna inledning. Pastorn har säkert inte glömt det samtal som vi hade med varandra för ett par veckor sedan med anledning av er frus hälsotillstånd. Jag vill inte göra någon ogrannlaga fråga om hur pastorn har hållit den överenskommelse vi då träffade. Men jag vill bara säga, att om jag då hade vetat hur det var fatt med pastorns hjärta, skulle jag ha kunnat anföra ännu starkare skäl för det råd jag tillät mig att ge. För er fru gäller det hennes hälsa, för längre eller kortare tid; men för pastorn själv kan det lätt gälla l i v e t.

Han såg ohygglig ut, medan jag talade — han fick ett slags färg i ansiktet, men ingenting rött, bara grönt och gredelint. Han var så förfärligt ful att se på, att jag måste vända mig bort. Jag gick till det öppna fönstret för att få en smula frisk luft i lungorna, men det var nästan mera kvavt ute än inne.

Jag fortsatte:

— Min ordination är enkel och klar: den lyder på skilda sovrum. Jag påminner mig att pastorn inte tycker om det, men det kan inte hjälpas. Det är nämligen inte bara själva den yttersta tillfredsställelsen som i detta fall innebär en stor fara; det är också av vikt att undvika allt som kan egga och hetsa begäret. — Ja, ja, jag vet vad pastorn vill säga; att ni är en gammal man, och dessutom präst; men jag är ju läkare och kan ha rätt att tala öppet med en patient.

Och jag tror inte att jag är alltför ogrannlaga om jag på-
pekar, att den ständiga närheten till en ung kvinna, på nat-
ten till, måste göra ungefär samma verkan på en präst som
på envar annan man. Jag har ju legat i Uppsala, jag kände
rätt många teologer där, och jag fick inte just det intryc-
ket att det teologiska studiet mera än något annat var äg-
nat att brandförsäkra unga kroppar mot den sortens elds-
våda. Och vad åldern beträffar — ja, hur gammal är det
pastorn är? — femtiosju år; det är en kritisk ålder. I den
åldern är begäret sig likt, ungefär som förr — men till-
fredsställelsen hämnar sig. Nå, det är sant, det finns så
många olika sätt att se på livet, och olika sätt att värdera
det; och om det vore en gammal vivör jag talade med,
skulle jag naturligtvis få vara beredd på det från hans syn-
punkt ganska logiska svaret; det ger jag tusan, det är ingen
mening med att försaka det som ger livet värde bara för
att få behålla livet. Men jag vet ju, att ett sådant sätt att re-
sonera är helt och hållet främmande för pastorns världs-
åskådning. Min plikt som läkare är i detta fall att upplysa
och att varna — det är allt vad jag kan göra, och jag är
säker om att nu, då pastorn vet, att det gäller allvar, är
det också allt som behövs. Jag har svårt att föreställa mig,
att det skulle vara i pastorns smak att knall och fall dö
samma död som salig kung Fredrik I, eller nu senast herr
Felix Faure...

Jag undvek att se på honom, medan jag talade. Men då
jag hade slutat, såg jag att han satt med handen över ögo-
nen och att hans läppar rörde sig, och jag gissade mera än
jag hörde: Fader vår, som är i himmelen, helgat varde ditt

namn... Inled oss icke i frestelse, utan fräls oss ifrån on-
do...

Jag satte mig ner vid skrivbordet och skrev litet digita-
lis åt honom.

Och jag tillade, då jag räckte honom receptet:

— Det är inte heller bra för pastorn att gå i staden hela
denna varma sommar. En badsejour på sex veckor skulle
göra pastorn mycket gott; Porla eller Ronneby. Men då
måste pastorn naturligtvis resa ensam.

5 juli.

Sommarsöndag. Damm och kvalm överallt, och bara fat-
tigt folk i rörelse. Och fattigt folk är tyvärr mycket osym-
patiskt.

Vid fyratiden satte jag mig på en liten ångslup och for
ut till Djurgårdsbrunn för att äta middag. Min hushållers-
ka var bjuden på begravning och skulle dricka kaffe i det
gröna efteråt. Det var ingen nära anförvant eller vän till
henne som var död, men en begravning är i alla fall ett
stort nöje för en kvinna av hennes klass, och jag hade inte
hjärta att neka henne permission. Jag kunde alltså inte få
någon middag hemma. Egentligen var jag också bortbju-
den till bekanta på en villa i skärgården; men jag kände
ingen lust. Jag tycker inte så mycket om varken bekanta
eller villor eller skärgården. Framför allt inte skärgården.
Ett landskap hackat till kalops. Små holmar, små vatten,
små bergknallar och små mariga träd. Ett blekt och fattigt

landskap, kallt i färgen, mest grått och blått, och likväl inte fattigt nog att äga ödslighetens storhet. När jag hör människor berömma skärgårdens vackra natur misstänker jag alltid att de ha helt andra saker i tankarna, och vid närmare undersökning visar det sig nästan alltid att misstanken bekräftas. Den ena tänker på den friska luften och de sköna baden, den andra på sin segelbåt och den tredje på abborrarna, och allt detta går för dem under rubriken vacker natur. Häromdagen talade jag med en ung flicka, som var förtjust i skärgården, men det visade sig under samtalets gång att hon egentligen tänkte på solnedgångarna, och kanske också på en student. Hon glömde att solen går ned överallt och att studenten är flyttbar. Jag tror inte att jag är alldeles otillgänglig för naturskönhet, men då måste jag resa längre bort, till Vättern eller Skåne, eller till havet. Det har jag sällan tid till, och på de tre eller fyra närmaste milens omkrets från Stockholm har jag aldrig träffat på något landskap som kan jämföras med Stockholm självt — med Djurgården och Haga och trottoarkanten vid strömmen utanför Grand. Därför stannar jag för det mesta i staden sommar och vinter. Jag gör det så mycket hellre som jag har ensittarens ständiga begär att se folk omkring mig — främmande människor väl att märka, som jag inte känner och inte behöver tala med.

Jag kom alltså till Djurgårdsbrunn och fick ett bord vid glasväggen i den låga paviljongen. Kyparen skyndade fram med matsedeln och bredde diskret en ren servett över de rester av kalvstekssås och Battys senap som ett tidigare middagssällskap lämnat kvar, och då han i nästa ögonblick räckte mig vinlistan, röjde han med den korta, hastigt framkastade frågan: Chablis? att hans minne rymde kanske lika omätliga fonder av detaljkunskaper som mången professors. Jag är ingen flitig källarkund, men det är sant att jag nästan aldrig dricker något annat vin än chablis, när jag då och då äter middag ute. Och han var gammal i facket och kände sina pappenheimare. Den första ungdomsyran hade han stillat med att balansera punschbrickor i Berns, med en mognare ålders allvar hade han fyllt mera invecklade plikter som matsalskypare på Rydberg och Hamburger börs, och vem vet vilken tillfällig ogunst av ödet, som var skuld till att han nu med glesnande hjässa och litet flottigare frack verkade i sitt kall på ett något enklare ställe. Han hade med åren fått en prägel av att höra hemma överallt, där det luktar mat och korkas upp buteljer. Det gladde mig att se honom, och vi växlade en blick av hemligt förstånd.

Jag såg mig omkring bland publiken. Vid bordet näst intill satt den sympatiske unge man, som jag brukar köpa cigarrer av, och smorde kråset med sin flicka, en täck liten bodfröken med kvicka råttögon. Litet längre bort satt en aktör med hustru och barn och torkade sig om munnen med slätrakad prästerlig värdighet. Och borta i en vrå satt ett ensamt gammalt original, som jag känner igen från gatan och kaféerna sedan väl tjugu år tillbaka, och delade sin middag med sin hund, gammal och litet grå i pälsen också han.

Jag hade fått min chablis och satt och njöt av solstrålarnas lek med den lätta ljusa drycken i mitt glas, då jag

helt nära mig hörde en fruntimmersröst som jag tyckte
mig känna igen. Jag såg upp. Det var ett herrskap som
just kom in, en herre, en fru och en liten gosse på fyra,
fem år, ett mycket vackert barn, men dumt och löjligt ut-
styrt i ljusblå sammetsblus och spetskrage. Det var frun
som förde ordet, och hennes röst föreföll mig bekant: där
ska vi sitta — nej, inte där — där skiner solen — nej, där
har vi ingen utsikt — var är vaktmästarn?

Plötsligt kände jag igen henne. Det var samma unga
kvinna som en gång hade vridit sig i gråt på golvet i mitt
rum och tiggt och bett att jag skulle hjälpa henne — att
jag skulle befria henne från barnet som hon väntade. Så
blev hon gift med den bodknodden som hon så gärna vil-
le ha, och fick sitt barn — litet för raskt, men det gör
ingenting nu — och här ha vi alltså c o r p u s d e l i c t i i
sammetsblus och spetskrage. Nå, min lilla fru, vad säger
ni nu — fick jag inte rätt? Skandalen, den gick över, men
er lilla gosse har ni kvar, och har glädje av honom...

Men jag undrar i alla fall om det verkligen är det bar-
net. Nej, det kan det ju inte vara. Gossen är fyra, högst
fem år, och det är minst sju eller åtta år sedan den där hi-
storien passerade: det var ju strax i början av min prak-
tik. Vad kan det då ha blivit av det första barnet? Kanske
det förolyckats på något sätt. Nå, det gör heller ingen-
ting, eftersom de tyckas ha reparerat skadan sedan.

Jag tycker inte så mycket om herrskapet för resten, när
jag ser närmare på dem. Frun är ung och rätt vacker än-
nu, men hon har lagt litet på hullet och fått nästan väl
blomstrande hy. Jag misstänker att hon går på konditorier

om förmiddagarna och dricker porter med bakelser och skvallrar med sina väninnor. Och herrn är en boddonjuan. Skall jag döma honom efter utseendet och fasonerna, så är jag böjd för att tro att han är så otrogen som en tupp. Dessutom ha bägge det där sättet att gräla på kyparen i förskott för den försumlighet som de vänta av honom: ett sätt, som gör mig illamående. Patrask, med ett ord.

Jag sköljde ner mina blandade intryck med en stor klunk av det lätta, syrliga vinet och såg ut genom det stora öppna skjutfönstret. Därute låg landskapet rikt och lugnt och varmt i eftermiddagssolen. Kanalen speglade strändernas grönska och himlens blå. Ett par kanoter med roddare i randig trikå ilade tyst och lätt in under bron och blevo borta, bicyklister rullade fram över bron och spredos över vägarna, och i gräset under de stora träden sutto människor i grupper och njöto av skuggan och den vackra dagen. Och över mitt bord fladdrade två gula fjärilar.

Och medan jag satt så och lät blicken sjunka in och vila i den djupa sommargrönskan därute, gledo mina tankar in på en fantasi som jag roar mig med ibland. Jag har litet sparade pengar, ett tiotusental kronor eller litet mer, i goda värdepapper. Om fem sex år eller så har jag kanske samlat nog för att kunna bygga mig ett hus på landet. Men var skall jag bygga det? Det måste vara vid havet. Det skall vara på en öppen kust, utan holmar och skär. Jag vill ha fri horisont, och jag vill h ö r a havet. Och jag vill ha havet i väster. Solen skall gå ner där.

Men det är också en annan sak som är lika viktig som

havet; jag vill ha rik grönska och stora susande träd. Inga tallar och granar. Ja, tallarna gå ändå an, när de äro höga och raka och starka och ha lyckats bli vad de äro ämnade till; men den naggade konturen av en granskog mot himlen pinar mig på ett sätt som jag inte kan förklara. Dessutom regnar det ju ibland på landet som i staden, och en granskog i regnväder gör mig alldeles sjuk och eländig. Nej, det skall vara en arkadisk ängd med långsam sluttning ned mot stranden och grupper av stora bladrika träd, som slå gröna valv över mitt huvud.

Men tyvärr, kustnaturen är icke sådan; den är rå och snål. Och av blåsten från havet bli träden knotiga och små och förkrympta. Den kust, där jag vill bygga och bo, får jag aldrig se.

Och så att bygga ett hus; det är också en historia. Först tar det ett par år innan det blir färdigt, och troligtvis dör man under tiden; så tar det ytterigare ett par tre år innan det blir i ordning, och sedan dröjer det ännu bortåt femtio år innan det blir riktigt trevligt ...

En hustru borde väl egentligen också höra till saken. Men det har nu sina sidor. Jag har så svårt att fördraga den tanken att någon ser på mig medan jag sover. Ett barns sömn är vacker, en ung kvinnas också, men knappast en mans. Man säger att en hjältes sömn vid lägerelden, med ränseln till huvudgärd, skall vara vacker att se, och det är möjligt, ty han är så trött och sover så gott. Men hur kan mitt ansikte se ut, när tanken ligger i dvala? Jag ville knappt se det själv om jag kunde, än mindre bör någon annan se det.

Nej, det finns ingen lyckodröm som inte till sist biter sig själv i svansen.

Ofta undrar jag också, vilken natur jag helst skulle vilja välja ut åt mig, om jag aldrig hade läst en bok och aldrig sett ett konstverk. Kanske jag aldrig ens skulle tänka på att välja då — kanske skärgården med sina knallar vore god nog åt mig då. Alla mina tankar och drömmar om natur äro troligtvis byggda på intryck från dikt och konst. Av konsten har jag lärt min längtan efter att få lustvandra på de gamla florentinarnas blomsterängar och gunga på Homeros' hav och böja knä i Böcklins heliga lund. Ack, vad skulle mina egna fattiga ögon se i världen, lämnade åt sig själva, utan alla dessa hundra eller tusen lärare och vänner bland dem som ha diktat och tänkt och sett för oss andra. Ofta tänkte jag i min ungdom: den som fick vara med; den som kunde vara med. Den som kunde få giva något en gång, icke bara ständigt taga emot. Det är så ödsligt att gå ensam med en ofruktbar själ; man vet inte vad man skall hitta på för att känna sig vara något och betyda något och få litet aktning för sig själv. Det är troligtvis en stor lycka att de flesta äro så anspråkslösa i den vägen. Jag var det icke, och det har pinat mig länge, fast jag tror att det värsta är över nu. Diktare kunde jag ju inte bli. Jag ser ingenting, som icke andra redan ha sett och givit form och gestalt. Jag känner ju några författare och konstnärer; underliga figurer i mitt tycke. De vilja ingenting, eller när de vilja något, göra de motsatsen. De äro bara ögon och öron och händer. Men jag avundas dem. Icke så att jag ville avstå från min vilja för deras syner, men jag skulle önska mig deras ögon och öron på köpet. Ibland, när jag ser en av dem sitta tyst och frånvarande och se ut i det tomma, tänker jag för mig själv: kanske ser han just nu något som ingen har sett förr och som han inom kort skall tvinga tusen andra att se, och bland dem också mig. Vad de yngsta bland dem producera förstår jag mig visserligen inte på — inte ännu! — men jag vet och förutser, att om de bara en dag bli erkända och berömda, kommer också jag att förstå och beundra dem. Det är som med de nya moderna kläder, möbler och allting annat; det är bara de stelnade och förtorkade, de för länge sedan färdiga, som kunna stå emot. Och diktarna själva, är det då verkligen de som skriva tiden lagar? Ja, gud vet. Det tycker jag ändå knappt att de se ut till. Jag tänker snarare att de äro instrument som tiden spelar på, eolsharpor som vinden sjunger i. Och vad är jag? Inte ens så mycket. Jag har inga egna ögon. Jag kan ju inte ens se på supen och rädisorna på bordet därborta med mina egna ögon, jag ser på dem med Strindbergs och tänker på en sexa på Stallmästargården som han åt i sin ungdom. Och då kanotiärerna nyss ilade förbi på kanalen i sina randiga tröjor, var det mig ett ögonblick som om Maupassants skugga ilade före dem.

Och nu, när jag sitter vid mitt öppna fönster och skriver detta vid ett fladdrande ljus — ty jag har motvilja mot att röra vid fotogenlampor, och min hushållerska sover för gott efter sitt begravningskaffe med dopp för att jag skulle ha hjärta att väcka henne — nu, då ljuslågan flämtar i draget och min skugga på den gröna tapeten fladdrar och skälver liksom lågan och vill få liv — nu tänker jag på Andersen och hans saga om skuggan, och det tycks mig att jag själv är skuggan som ville bli människa.

6 juli på morgonen.

Jag måste anteckna min dröm, som jag hade i natt:

Jag stod vid pastor Gregorius' bädd; han låg sjuk. Övre delen av hans kropp var blottad, och jag lyssnade på hans hjärta. Sängen stod i hans arbetsrum; en kammarorgel stod i ett hörn, och någon spelade på den. Ingen koral, knappt en melodi. Bara formlösa fugaartade tongångar fram och tillbaka. En dörr stod öppen; det oroade mig, men jag kunde inte komma mig för att få den stängd.

— Är det allvarligt? frågade prästen.

— Nej, svarade jag, allvarligt är det inte; men det är farligt.

Jag menade, att det som jag tänkte på var farligt för mig själv. Och jag tyckte i drömmen att jag uttryckte mig djupsinnigt och fint.

— Men för säkerhets skull, tillade jag, kan vi ju skicka till apoteket efter några nattvardskapslar.

— Skall jag opereras? frågade prästen.

Jag nickade.

— Det torde bli nödvändigt. Pastorns hjärta duger inte alls, det är för gammalt. Vi får lov att ta bort det. Det är för resten en alldeles ofarlig operation, den kan utföras med en vanlig papperskniv.

Detta föreföll mig som en helt enkel vetenskaplig san-
ning, och jag hade just en papperskniv i handen.

— Vi lägger bara en näsduk över ansiktet.

Prästen stönade högt under näsduken. Men i stället för
att operera honom tryckte jag hastigt på en knapp i väg-
gen.

Jag tog bort näsduken. Han var död. Jag kände på hans
hand; den var iskall. Jag såg på min klocka.

— Han har varit död i minst två timmar, sade jag för
mig själv.

Fru Gregorius steg upp från orgeln, där hon hade sut-
tit och spelat, och kom fram till mig. Hennes blick tyck-
tes mig bekymrad och sorgsen, och hon räckte mig en
knippa mörka blommor. Och då först såg jag att hon små-
log tvetydigt, och att hon var naken.

Jag sträckte armarna emot henne och ville draga henne
till mig, men hon vek undan, och i detsamma stod Klas
Recke i den öppna dörren.

— Doktor Glas, sade han, i min egenskap av tillförord-
nad kanslisekreterare förklarar jag er häktad!

— Det är för sent nu, svarade jag honom. Ser du ing-
enting?

Jag pekade på fönstret. Ett rött eldsken slog in genom
rummets bägge fönster, det var plötsligt ljust som mitt på
dagen, och en kvinnoröst, som tycktes komma från ett an-
nat rum, jämrade och kved: världen brinner, världen brin-
ner!

Och jag vaknade.

Morgonsolen stod rätt in i rummet, jag hade inte dragit ned gardinen på kvällen då jag kom hem.

Besynnerligt. De senaste dagarna har jag ju alls inte tänkt på den fula prästen och hans vackra hustru. Inte v e l a t tänka på dem.

Och Gregorius har ju rest till Porla.

*

Jag skriver inte ner alla mina tankar här.

Jag skriver sällan ner en tanke första gången den kommer till mig. Jag väntar och ser, om den kommer igen.

7 juli.

Det regnar, och jag sitter och tänker på obehagliga saker.

Varför sade jag nej åt Hans Fahlén den där gången förra hösten, då han kom till mig och bad att få låna femtio kronor? Det är visserligen sant att jag kände honom bra litet. Men han skar halsen av sig veckan därpå.

Och varför lärde jag mig inte grekiska då jag gick i skolan? Det retar mig så att jag kan bli sjuk. Jag läste det ju i fyra år. Var det kanske för att min far hade tvingat mig att välja det i stället för engelska som jag föresatte mig att ingenting lära? Hur kan man vara så djuriskt dum! Allt annat lärde jag mig ju, till och med det nonsens som kallades logik. Men jag läste grekiska i fyra år, och jag kan ingen grekiska.

Och det kan omöjligt ha varit min lärares fel, ty han blev statsråd sedan.

Jag har lust att leta fram skolböckerna igen och se till om jag kan lära mig något nu, det är kanske inte för sent.

*

Jag undrar hur det kan vara att ha ett brott att ångra.

*

Jag undrar om inte Kristin har middagen färdig snart..

*

Blåsten ruskar om i träden på kyrkogården, och regnet skvalar i takrännan. En fattig slusk med en butelj i fickan har sökt skydd under kyrktaket, i en vrå invid en strävpelare. Han står stödd mot den röda kyrkomuren, och hans blick irrar from och blå bland de drivande molnen. Det dryper av de två magra träden vid Bellmans grav. Snett över kyrkogårdshörnet ligger ett beryktat hus; en flicka i lintyget tassar fram till ett fönster och rullar ner gardinen.

Men nere bland gravarna går församlingens kyrkoherde försiktigt genom smutsen med paraply och galoscher, och nu kryper han in genom den lilla dörren till sakristian.

*

Apropå, varför går prästen alltid in i kyrkan genom en bakport?

9 juli.

Det regnar alltjämt. Dagar som dessa äro släkt med allt hemligt gift i min själ.

Nyss, då jag var på hemväg från mina sjukbesök, växlade jag i ett gathörn en hastig hälsning med en man, som jag inte tycker om att möta. Han har förnärmat mig en gång — djupt, fint, och under sådana omständigheter att jag inte ser någon möjlighet att betala det. Sådant tycker jag inte om. Det angriper min hälsa.

*

Jag sitter vid chiffonjéklaffen och drar ut den ena lådan efter den andra och tittar på gamla papper och saker. Ett litet gulnat tidningsurklipp faller mig i händerna.

Finns det ett lif efter detta? Af theol. dr H. Cremer. Pris 50 öre.
John Bunyans uppenbarelser. En framställning af det kommande lifvet, himlens härlighet och helvetets fasor. Pris 75 öre.
☞ MÄNNISKANS EGNA KRAFT. ☜
Rätta vägen till utmärkelse och rikedom af S. Smiles. Pris 3: 50, eleg. inb. i klotb. med guldsnitt 4: 25.

Varför har jag gömt denna gamla annons? Jag minns, jag klippte ur den när jag var fjorton år, det året då min fars förmögenhet gick upp i rök. Jag sparade av mina små fickpengar, och till sist köpte jag mr Smiles' bok, dock inte med guldsnitt. Då jag hade läst den sålde jag den strax i ett antikvariat; den var för överdrivet dum.

Men annonsen har jag kvar. Den är också värdefullare. Och här är en gammal fotografi: lantstället, som vi hade några år. Mariebo hette det, efter min mor.

Fotografin är gulnad och blekt, och det ligger som en dimma över det vita huset och granskogen där bakom. Ja, så såg det ut där under gråa och regniga dagar.

Jag hade just aldrig så roligt där. Om somrarna fick jag alltid så mycket stryk av min far. Jag var visst ett svårhanterligt barn på de tider, då jag inte hade skolan och läxläsningen.

En gång fick jag stryk orättvist. Det hör nästan till mina bästa barndomsminnen. Det gjorde ont i skinnet naturligtvis, men gott i själen. Jag gick ner till sjön efteråt, det blåste nästan storm och skummet yrde ända upp i mitt ansikte. Jag vet inte om jag någonsin senare har känt en så behaglig översvämning av ädla känslor. Jag förlät min far; han hade ett så häftigt lynne, och han hade också så mycket bekymmer för sina affärer.

Svårare var det att förlåta honom alla de gånger han gav mig stryk rättvist; jag vet inte om jag har förlåtit honom det riktigt ännu. Som den gången då jag trots det strängaste förbud åter igen hade bitit sönder mina naglar. Vad han slog mig! Och i timmar efteråt drev jag omkring i ösregn i den eländiga granskogen och grät och svor.

Det var aldrig något riktigt lugn över min far. Han var sällan glad, och då han icke var det kunde han icke heller fördraga andras glädje. Men fester tyckte han om; han hörde till de dystra slösarna. Han var rik och dog fattig. Jag vet inte om han var fullt hederlig; han låg ju i så stora affärer. Hur jag undrade som barn över ett skämtsamt ord, som jag en gång hörde honom fälla till en av sina affärsvänner: "Ja, min kära Gustav, det är inte så lätt att vara hederlig när man förtjänar så mycket pengar som vi"... Men han var sträng och hård och hade fullkomligt klara och bestämda begrepp om plikten, när det gällde andra. För sig själv finner man ju alltid omständigheter, som ursäkta ett undantag.

Men det värsta var, att jag alltid kände en så stark fysisk motvilja mot honom. Hur jag pinades, då jag som liten pojke måste bada tillsammans med honom och han ville lära mig simma. Jag slingrade mig som en ål ur hans händer, jag tyckte gång på gång att jag höll på att drunkna och var nästan lika rädd för döden och för beröringen med hans nakna kropp. Han anade väl icke heller hur denna rent kroppsliga motvilja skärpte min pina de gånger, då han gav mig stryk. Och ännu långt senare var det mig en plåga då jag på resor eller eljest tillfälligtvis måste sova i samma rum som han.

Och ändå höll jag av honom. Kanske mest därför att han var så stolt över mitt goda huvud. Och också därför att han alltid var så fint klädd. En tid hatade jag honom också, därför att han inte var god mot min mor. Men så blev hon sjuk och dog. Jag märkte då, att han sörjde henne mera än jag själv förmådde med mina femton år, och då kunde jag ju inte hata honom längre.

Nu äro de borta bägge. Och borta äro de alla — alla

de som gingo och stodo bland möblerna i min barndoms hem. Ja, inte alla, men de som jag brydde mig något om. Bror Ernst, som var så stark och så dum och så snäll, min hjälp och mitt beskydd i alla skolpojkslivets äventyrligheter — borta. Till Australien for han, och ingen vet om han lever eller är död. Och min vackra kusin Alice, som stod så blek och rak vid pianot och sjöng med en sömngångerskas ögon och med en röst som skimrade och brann, sjöng så att jag skakades av frossa där jag satt hopkrupen i en vrå av den stora glasverandan, sjöng så som jag aldrig får höra någon sjunga mer, vad blev det av henne? Gift med fattigdomen, med en lärare i en småstad, och gammal redan och sjuk och förtärd. Jag föll i en plötslig gråtkramp då jag träffade henne förra julen hos hennes mor, det smittade henne, och vi gräto bägge ... Och hennes syster Anna med de heta kinderna, hon som hade samma feber i dansen som systern i sången, hon rymde från sin lymmel till man med en annan lymmel, och blev övergiven. Nu lever hon av sin kropp i Chicago, säger man. Och deras far, den goda, vackra, kvicka morbror Ulrik, som de alltid sade att jag liknade, fast jag liknade honom fult, han drogs med i samma krasch som störtade min far och dog som han i en knappt maskerad misär ... Vad var det för en pest som rev bort dem alla på några få år, till graven eller till ett skuggliv i elände, alla, alla, också de flesta av vännerna som fordom fyllde våra rum i festernas dagar?

Gud vet vad det var. Men det är borta alltsammans.

Och Mariebo, det heter visst nu Sofielund.

10 juli.

Vid chiffonjéklaffen.

Det föll mig in att trycka på den fjäder, som öppnar den lilla lönnlådan. Jag vet ju vad som finns där: bara en liten rund ask med några piller. Jag vill inte ha dem i mitt medikamentskåp, det kunde möjligtvis ske en förväxling någon gång, och det vore inte bra. Jag har lagat till dem själv, för flera år sedan, och det är litet cyankalium i dem. Jag gick inte just i aktuella självmordstankar då jag gjorde i ordning dem åt mig; men jag ansåg, att en vis man alltid bör vara beredd.

Om man tar in litet cyankalium i ett glas vin eller något liknande, följer döden ögonblickligen, glaset faller ur handen ner på golvet, och det är tydligt för var och en att det föreligger ett självmord. Det är inte alltid bra. Om man däremot tar ett av mina piller och dricker ett glas vatten på, dröjer det en eller annan minut innan pillret hinner lösas upp och göra verkan, man kan lugnt ställa glaset tillbaka på brickan och sätta sig i en bekväm stol framför brasan och tända en cigarr och vika upp Aftonbladet. Plötsligt sjunker man ihop. Läkaren konstaterar ett slaganfall. Sker obduktion, upptäcks naturligtvis giftet. Men då inga misstänkta eller ur medicinsk synpunkt särskilt intressanta omständigheter föreligga, sker ingen obduktion. Och man kan icke säga att det föreligger några sådana omständigheter om en person får slag medan han läser Aftonbladet vid sin middagscigarr.

Det känns dock lugnt att veta, att dessa små inmjölade

kulor, som likna blyhagel, ligga där och vänta på den dag, då de kunna behövas. I dem slumrar det en kraft, ond och förhatlig i sig själv, människans och allt levandes huvudfiende från begynnelsen. Och man frigör den först då, när den är den enda och hett åtrådda befriaren från ett värre.

Vad var det jag mest tänkte på, då jag lagade till dessa små svarta kulor åt mig? Ett självmord av olycklig kärlek har jag aldrig kunnat föreställa mig. Förr då av fattigdom. Fattigdomen är förfärlig. Av all så kallad yttre olycka är det nog den, som verkar djupast inåt. Men den tycks inte vara mig nära; själv räknar jag mig till de bättre lottade, och samhällsvetenskapen hänför mig till de rika. Vad jag närmast tänkte på var nog sjukdom. Lång, obotlig, vidrig sjukdom. Jag har ju sett så mycket... Kräfta, ansiktslupus, blindhet, förlamning... Hur många olyckliga har jag inte sett, som jag utan den ringaste tvekan skulle ha givit ett av dessa piller, om inte hos mig som hos annat gott folk det egna intresset och respekten för polisen talade starkare än barmhärtigheten. Och i stället, hur mycket odugligt, hopplöst fördärvat människomaterial har jag inte på ämbetets vägnar varit med om att konservera — och inte ens blygts att taga emot betalning.

Men sådant är bruket. Man gör alltid klokt i att följa bruket; och i ting, som icke beröra oss djupt personligt, göra vi kanske också rätt i att följa det. Och varför skulle jag göra mig till martyr för en uppfattning, som förr eller senare blir alla civiliserade människors, men som i dag ännu är brottslig?

Den dag skall och måste komma, då rätten att dö blir

erkänd som en långt viktigare och mera oförytterlig människorätt än den att lägga en sedel i valurnan. Och när den tiden är mogen, skall varje obotligt sjuk — och varje "brottsling" också — äga rätt till läkarens hjälp, om han vill befrielsen.

Det låg något vackert och stort i den giftbägare, som atenarna läto läkaren räcka Sokrates, när de nu en gång hade trott sig finna att hans liv var farligt för staten. Vår tid skulle, förutsatt att den hade bedömt honom på samma sätt, ha släpat honom upp på en tarvlig schavott och slaktat ner honom med en yxa.

*

God natt, du onda kraft. Sov gott i din lilla runda dosa. Sov, tills jag behöver dig; så vitt det beror på mig skall jag icke väcka dig i otid. Det regnar i dag, men i morgon skiner kanske solen. Och först om den dagen gryr, då själva solskenet tyckes mig förpestat och sjukt, skall jag väcka dig för att få sova själv.

11 juli.

Vid chiffonjéklaffen en jämngrå dag.

I en av smålådorna hittade jag nyss en liten lapp, på vilken det stod skrivet några ord med min egen handstil, sådan den var för ett antal år sedan — ty var människas handstil förändras oavbrutet, en liten smula vart år, kanske

omärkligt för henne själv, men lika oundvikligt och säkert
som ansiktet, hållningen, rörelserna, själen.

Det stod skrivet:

"Ingenting förringar och drar ned en människa så, som
medvetandet att icke vara älskad."

När skrev jag det? Är det en reflexion av mig själv, eller
är det ett citat som jag har antecknat?

Minns inte.

＊

De ärelystna förstår jag. Jag behöver bara sitta i en vrå
på Operan och höra kröningsmarschen i Profeten för att
känna ett hett ehuru visserligen snabbt förflyktigat begär
efter att härska över människorna och låta kröna mig i
en gammal domkyrka.

Men det skall vara medan jag lever; resten må gärna va-
ra tystnad. Aldrig har jag förstått dem som jaga efter ett
odödligt namn. Mänsklighetens minne är bristfälligt och
orättvist, och våra äldsta och största välgörare ha vi glömt.
Vem uppfann vagnen? Pascal uppfann skottkärran och
Fulton lokomotivet, men vem uppfann vagnen? Vem upp-
fann hjulet? Ingen vet det. Till gengäld har historien be-
varat namnet på konung Xerxes' livkusk: Patiramfes, son
av Otanes. Han körde storkonungens vagn. — Och den
drummeln som satte eld på Dianatemplet i Efesus för att
människorna icke skulle glömma hans namn, han vann
mycket riktigt sitt mål och står nu i Brockhaus.

＊

Man vill bli älskad, i brist därpå beundrad, i brist därpå fruktad, i brist därpå avskydd och föraktad. Man vill ingiva människorna någon slags känsla. Själen ryser för tomrummet och vill kontakt till vad pris som helst.

13 juli.

Jag har gråa dagar och svarta stunder. Jag är inte lycklig. Dock känner jag ingen som jag ville byta med; mitt hjärta krymper ihop vid föreställningen att jag kunde vara den eller den bland mina bekanta. Nej, jag ville inte vara någon annan.

I min första ungdom led jag mycket av att jag icke var vacker, och i mitt brinnande begär efter att vara vacker tyckte jag mig vara ett vidunder av fulhet. Nu vet jag ju att jag ser ut ungefär som folket är mest. Det gör mig just inte heller glad.

Jag tycker inte särdeles mycket om mig själv, varken skalet eller innanmätet. Men jag ville inte vara någon annan.

14 juli.

Välsignade sol, som förmår leta dig ner till oss, ända ner till gravarna under träden . . .

Ja, det var nyss; nu är det mörkt. Jag kommer från min kvällspromenad. Staden låg som tvagen i ett rosenbad, och över de södra höjderna vilade lätta rosendimmor.

Jag satt en stund ensam vid ett bord på trottoarkanten utanför Grand och drack litet sockerdricka med citron; då kom fröken Mertens förbi. Jag reste mig och hälsade, och till min överraskning stannade hon, räckte mig handen och sade några ord, innan hon fortsatte, något om sin mors sjukdom och om den vackra aftonen. Medan hon talade blev hon litet röd, som om hon kände att det hon gjorde var ovanligt och kunde misstydas.

Jag misstydde det nu i vart fall inte. Jag har ju många gånger sett hur mjukt och vänligt och oberört av all form hennes sätt är mot nästan alla, och det har alltid intagit mig.

Men i alla fall — hur hon strålade! Älskar hon någon?

Hennes familj hörde till de många som blevo lidande på min fars fall. På senare år har gamla överstinnan varit sjuklig och anlitar mig ofta. Jag har aldrig velat taga emot något honorar, och de förstå ju skälet.

Hon rider också; på sista tiden har jag sett henne några gånger på mina morgonritter, i går senast. Med ett muntert "god morgon" red hon förbi mig i raskt tempo, sedan såg jag henne sakta av långt borta vid en krökning av vägen, hon föll i skritt och red en lång sträcka med slappa tyglar, som i drömmar... Men jag höll min jämna takt, och på det sättet redo vi förbi varandra ett par gånger på en kort stund.

❋

Hon är inte egentligen vacker, men det är något hos henne som på ett alldeles särskilt sätt står i förbindelse med

vad som i många år och ända till helt nyligen var min dröm
om kvinnan. Sådant kan inte förklaras. En gång — det är
väl nu ett par tre år sedan — lagade jag med mycket be-
svär att jag blev bjuden i en familj, där jag visste att hon
umgicks, bara för att få träffa henne. Hon kom också
mycket riktigt dit, men den gången såg hon mig knappt,
och vi kommo inte att säga många ord åt varandra.

Och nu: henne känner jag väl igen, hon är densamma
som då. Det är mig själv jag inte mera känner igen.

17 juli.

Nej, ibland tycks det mig att livet ser alltför gement ut
i ansiktet.

Jag är nyss hemkommen från ett nattligt sjukbesök. Jag
väcktes av en ringning i telefon, fick ett namn och en
adress — det var helt nära — och en antydan om vad sa-
ken gällde: ett barn hade plötsligt sjuknat svårt, troligen
strypsjuka, hos grosshandlare den och den. Omsvärmad av
druckna nattsvirare och av skökor som röcko mig i roc-
ken skyndade jag genom gatorna. Det var fyra trappor
upp i ett hus vid en sidogata. Namnet, som jag hört i te-
lefon och som jag nu läste på dörren, tycktes mig bekant,
utan att jag kunde reda ut varifrån jag hade det. Jag mot-
togs av frun i nattröja och underkjol — det var damen
från Djurgårdsbrunn, densamma som jag kände sedan den
där gången för många år tillbaka. Så, den lilla vackra gos-
sen alltså, tänkte jag. Genom en trång matsal och ett idio-

tiskt förmak, för tillfället belyst av en flottig kökslampa, ställd i hörnet av en atenienn, fördes jag in i sängkammaren, som tydligen var gemensam för hela familjen. Mannen såg jag dock inte till, han var inte hemma. "Det är vår äldsta pojke som är sjuk", förklarade frun. Jag fördes fram till en liten säng. Det var inte den lilla vackra gossen som låg i den. Det var en annan, ett vidunder. Enorma apkäkar, hoptryckt kranium, små onda och slöa ögon. En idiot, det var klart vid första ögonkastet.

Så — det var alltså den förstfödde. Det var honom hon bar under sitt hjärta den gången. Det livsfröt var det som hon på sina knän tiggde mig om att befria henne från; och jag svarade henne med plikten. Liv, jag förstår dig inte!

Och nu vill döden äntligen förbarma sig över honom och dem och taga honom bort från det liv som han aldrig borde kommit in i. Men han får det inte! De önska ingenting hellre än att bli honom kvitt, det är ju inte möjligt annat, men i sina hjärtans djupa feghet skicka de likväl efter mig, läkaren, för att jag skall driva undan den goda och barmhärtiga döden och hålla missfostret vid liv. Och i min lika stora feghet göra jag "min plikt" — gör den nu, som jag gjorde den då.

Jag tänkte ju inte alla dessa tankar strax, där jag stod yrvaken i det främmande rummet, vid en sjukbädd. Jag bara verkade i mitt kall och tänkte ingenting — stannade så länge jag behövdes, gjorde det som skulle göras, och gick. I tamburen mötte jag mannen och fadern, som just kom hem, litet dragen.

Och apgossen kommer att leva — kanske många år ännu.

Det vidriga djuransiktet förföljer mig ända hit in i mitt rum med sina små onda, slöa ögon, och jag sitter och läser hela historien i dem.

Han har fått just de ögon med vilka världen såg på hans mor, då hon gick havande med honom. Och med samma ögon narrade världen henne också att själv se på det hon gjort.

Här är nu frukten — se vilken vacker frukt!

Den råa fadern som slog henne, modern med huvudet fullt av vad släktingar och bekanta skulle säga, tjänarna som tittade på henne under lugg och fnissade och gladdes i sina hjärtan åt att få en tydlig bekräftelse på att de "bättre" inte äro bättre än de sämre, mostrar och farbröder med ansikten som blevo stela av idiotförtrytelse och idiotmoral, prästen som fattade sig kort och torrt på det snöpliga bröllopet, med en viss rätt kanske litet generad av att på vår herres vägnar uppmana kontrahenterna att göra vad som ögonskenligen redan var gjort — alla drogo de sitt strå till stacken, alla ha de en liten del i det som blev. Inte ens läkaren saknades — och läkaren, det var jag.

Jag hade ju kunnat hjälpa henne den gången, då hon i högsta nöd och förtvivlan kröp på sina knän i det här rummet. I stället svarade jag henne med plikten, som jag inte trodde på.

Men jag kunde ju inte heller veta eller ana ...

Hennes fall var dock ett av dem, där jag kände mig säker. Om jag också inte trodde på "plikten" — inte trodde att den var den över allt annat bindande lag, som den gav sig ut för att vara — så stod det dock alldeles klart för mig att det rätta och kloka i detta fall var att göra det, som de andra kalla plikten. Och jag gjorde det utan tvekan

Liv, jag förstår dig inte.

*

"När ett barn födes vanskapligt, dränker man det."
(Seneca.)

*

Varje idiot på Eugeniahemmet kostar mera i årligt underhåll än en frisk ung kroppsarbetare har i årlig inkomst.

24 juli.

Afrikahettan har kommit igen. Hela eftermiddagen ligger det som en rök av guldstoft i tung vindstilla över staden, och först med skymningen kommer svalka och lindring.

Nästan var kväll sitter jag en stund på trottoarkanten utanför Grand och suger en lätt citronsyrad dryck ur ett smalt vassrör. Jag håller av den stunden då lyktorna börja tindra upp i krökningen längs strömmens kanter, det är min bästa timme på dagen. Oftast sitter jag ensam, men i går satt jag där med Birck och Markel.

— Jag prisar gud, sade Markel, för att de äntligen ha börjat tända lyktorna igen. Jag känner inte igen mig själv i det här sommarnattsmörkret utan lyktor som vi nu ha irrat omkring i en rund tid. Fast jag vet att anordningen har kommit till uteslutande av sparsamhetsskäl, ett fullt aktningsvärt motiv alltså, har den i alla fall en gemen bismak av att vara arrangerad för turistsmaken. "Midnattssolens land" — fy katten.

— Ja, sade Birck, man kunde åtminstone nöja sig med att hålla lyktorna släckta ett par tre nätter vid midsommar, då det verkligen nästan är ljust. På landet är sommarnattsskymningen ett helt trolleri, men här hör den inte hemma. Tända ljus tillhör staden. Aldrig har jag känt lyckan och stoltheten över att höra hemma i en stad starkare än då jag som barn kom in från landet någon höstkväll och såg det tindra ljus runt kajerna. Nu, tänkte jag, nu måste de stackarna där borta på landet hålla sig inne i stugan eller också stövla omkring i mörker och smuts.

— Men det är sant, tillade han, på landet har man i stället en helt annan stjärnhimmel än här. Här duka stjärnorna under i konkurrensen med gaslyktorna. Och det är synd.

— Stjärnorna, sade Markel, duga inte att lysa oss på våra irrfärder i natten. Det är sorgligt i vilken grad de ha förlorat all praktisk betydelse. Förr reglerade de hela vårt liv; och när man öppnar en vanlig fjortonöres almanacka skulle man kunna tro att de göra det ännu. Det vore svårt att leta upp ett mera slående exempel på traditionens seghet än detta, att den mest spridda folkbok som finns är fylld med noggranna uppgifter om saker som ingen människa längre bryr sig om. Alla dessa astronomiska tecken, som den fattigaste bonde för två hundra år

sedan förstod på ett ungefär och som han studerade med
iver och flit, då han trodde, att all hans välfärd berodde
av dem, äro i dag okända och obegripliga för mängden
av bildade. Om vetenskapsakademien hade sinne för skämt,
kunde den roa sig med att blanda om Kräftan, Lejonet och
Jungfrun i almanackan som lotter i en hatt, allmänheten
skulle inte märka det ringaste. Stjärnhimmeln har sjunkit
ner till en rent dekorativ roll.

Han tog en klunk ur sin grogg och fortfor:

— Nej, stjärnorna kan inte längre glädja sig åt samma
popularitet som förr i världen. Så länge man trodde att
ens öde hängde på dem, voro de fruktade men också äls-
kade och dyrkade. Och som barn ha vi ju alla tyckt om
dem i tanke att de voro små vackra ljus, som Gud tände
om kvällarna för att glädja oss, och vi tänkte att det var
åt oss de blinkade. Nu återigen, då vi ha fått veta litet me-
ra om dem, äro de för oss bara en ständig, plågsam, oför-
skämd erinran om vår egen obetydlighet. Här går man
till exempel en natt på Drottninggatan och tänker storar-
tade, underbara, ja epokgörande tankar, tankar som man
känner med sig att ingen människa i världen förr har för-
mått eller vågat tänka. Låt vara att en mångårig erfaren-
het sitter på lur långt nere i vårt undermedvetna jag och
viskar, att vi nästa morgon utan det ringaste tvivel antingen
ha glömt dessa tankar eller icke längre ha blick för det
storartade och epokgörande i dem — det gör detsamma,
det minskar inte lyckan i tankeruset så länge det räcker.
Men man behöver bara råka titta uppåt och få se en liten
stjärna sitta alldeles stilla mellan ett par plåtskorstenar och

lysa och blinka, så förstår man att man lika gärna kan glömma dem strax. Eller man går och tittar i rännstenen och undrar, om man verkligen gör rätt i att supa ihjäl sig eller om man kanske kunde finna på något bättre att fylla ut tiden med. Så stannar man plötsligt — som det hände mig härom natten — och stirrar på en liten tindrande punkt i rännstenen. Man finner efter en stunds reflexion att det är en stjärna som speglar sig — det var för resten Deneb i Svanen. Och med ens står det klart för en hur löjligt oviktig hela frågan är.

— Nå, tillät jag mig att inskjuta, detta kan man nu visserligen kalla att betrakta fylleriet under evighetens synvinkel. Men den är knappast fullt naturlig för oss i nyktert tillstånd och lämpar sig i vart fall inte till dagligt bruk. Om stjärnan Deneb föll på den idén att betrakta sig själv *sub specie æternitatis*, skulle den kanske finna sig alltför obetydlig för att anse det mödan värt att lysa längre. Emellertid sitter den nu där troget på sin post sedan en längre tid tillbaka och lyser mycket vackert, och speglar sig både i världshaven på de okända planeter, vilkas sol den troligtvis är, och också någon gång i en rännsten på den lilla mörka jorden. Följ exemplet, käre vän! Ja, jag menar i det stora och hela och på ett ungefär, och inte bara beträffande rännstenen.

— Markel, inföll Birck, överskattar mycket räckvidden hos sin tanke, om han tror att han kan betrakta ens den minsta och svagaste av sina groggar under evighetens synvinkel. Det står inte i hans förmåga, och han skulle inte komma levande ifrån det. Jag tror mig ha läst någonstans att den synpunkten uteslutande är förbehållen vår herre. Och det är kanske därför han har upphört att existera. Receptet var visst för kraftigt till och med för honom.

Markel teg. Han såg allvarlig och sorgsen ut. Åtminstone föreföll det mig så efter vad jag kunde se av hans ansikte där i dunklet under det stora rödrandiga suntältet, och då han drog en tändsticka för att få eld på sin slocknade cigarr slog det mig att han hade blivit gammal. Han kommer att dö mellan fyrtio och femtio, tänkte jag för mig själv. Och han är visst för resten redan ett gott stycke över fyrtio.

Plötsligt sade Birck, som satt så att han kunde se ut över trottoaren i riktning åt staden:

— Där borta kommer fru Gregorius, hon som är gift med den där vidriga prästen. Gud vet hur det kan ha gått till då hon blev fast för honom. När man ser de två tillsammans måste man vända sig bort, man har en känsla av att den enklaste grannlagenhet mot henne kräver det.

— Är prästen med? frågade jag.

— Nej, hon är ensam...

Ja visst, prästen var ju i Porla ännu.

— Jag tycker att hon ser ut som en blond Delila, sade Birck.

Markel: Låt oss hoppas att hon fattar sin uppgift i livet rätt och sätter enorma horn på Herrans nazir.

Birck: Det tror jag knappt. Hon är naturligtvis religiös, på annat sätt vore det äktenskapet oförklarligt.

Markel: Efter mitt enkla förstånd vore det tvärtom oförklarligt om hon hade den ringaste bråkdel av religion i behåll efter en passande tids äktenskap med pastor Gregorius — och för resten kan hon i vart fall omöjligt vara mer religiös än madame de Maintenon. Den sanna tron är en ovärderlig hjälp i alla livets förhållanden och har aldrig hindrat trafiken.

Vårt prat tystnade, då hon gick förbi, i riktning åt museet och Skeppsholmen. Hon bar en enkel svart dräkt. Hon gick varken långsamt eller fort, och hon såg varken åt höger eller vänster.

Ja, hennes gång... Jag måste ofrivilligt sluta ögonen, då hon gick förbi. Hon har en gång som en, som går mot sitt öde. Hon gick med huvudet litet sänkt, så att en bit av halsen lyste vit under den ljushåriga nacken. Log hon? Jag vet inte. Men jag kom plötsligt att tänka på min dröm härom natten. Det slags leende, som hon då hade i den hemska drömmen, har jag aldrig sett henne le i verkligheten, och vill heller aldrig se det.

Då jag såg upp på nytt, såg jag Klas Recke gå förbi åt samma håll. Han nickade i förbigående åt Birck och Markel, kanske också åt mig, det var litet obestämt. Markel gestikulerade åt honom att slå sig ned hos oss, men han gick förbi utan att låtsas märka det. Han gick i hennes spår. Och jag tyckte mig se en stark hand, som höll dem bägge i en och samma osynliga tråd och drog dem åt ett och samma håll. Och jag frågade mig själv: vart bär vägen för henne och honom? — Å, vad kommer det mig vid! Den väg hon går skulle hon ha gått också utan min hjälp. Jag har bara röjt undan litet av den otäckaste smutsen för hennes små fötter. Men hennes väg är för visso tung ändå,

det måste den vara. Världen är inte god för dem som äls-
ka. Och in i mörkret bär det ju alltid till sist, för dem och
för oss alla.

— Recke är svår att få fatt i på sista tiden, sade Markel.
Jag är säker om att den lymmeln har något särskilt för sig.
Jag har hört sägas att han slår för en liten flicka med
pengar. Ja, ja, det måste väl gå den vägen till sist, han har
skulder som en tronföljare. Han är i procentarhänder.

— Hur vet du det? frågade jag, kanske litet omotive-
rat vresigt.

— Jag vet det inte alls, svarade han fräckt. Men jag
förstår det. Låga själar brukar bedöma en man efter hans
affärsställning. Jag går den motsatta vägen och bedömer
affärsställningen efter mannen. Det är mera logiskt, och
jag känner Recke.

— Nu får du inte dricka mer visky, Markel, sade Birck.

Markel slog i en ny visky åt sig själv och en åt Birck, som
satt och stirrade ut i tomma luften och gjorde min av att
icke se något. Min grogg var nästan orörd, och Markel be-
traktade den med en blick full av bekymmer och ogillande.

Birck vände sig plötsligt till mig:

— Säg mig en sak, frågade han, strävar du efter lycka?

— Jag förmodar det, svarade jag. Jag känner ingen an-
nan definition på lyckan än att den är sammanfattningen
av det som var och en i sin stad finner eftersträvansvärt.
Så är det väl alltså självklart att man strävar efter lycka.

Birck: Ja visst. På det sättet är det självklart. Och ditt
svar erinrar mig för hundrade gången om att all filosofi
lever och har sin näring uteslutande av språkliga tvetydig-

heter. Mot den vulgära lyckopannkakan sätter den ena sin frälsningskrokan och den andra "sitt verk"; och bägge förneka all bekantskap med något som helst strävande efter lycka. Det är en avundsvärd gåva att på det sättet kunna bedraga sig själv med ord. Man har ju alltid ett begär att se sig själv och sin strävan i ett ljus av idealitet. Och den djupaste lyckan ligger kanske till sist i den illusionen, att man icke traktar efter lycka.

Markel: Människan strävar icke efter lycka, utan efter vällust. "Det är möjligt", sade cyrenaïkerna, "att det kan finnas människor som icke söka efter vällust, men orsaken därtill är, att deras förstånd är missbildat och deras omdöme fördärvat."

— Då filosoferna, fortfor han, säga att människan strävar efter lycka, eller efter "frälsning", eller efter "sitt verk", tänka de därvid blott på sig själva, eller i vart fall på vuxna personer av en viss bildningsgrad. Per Hallström berättar i en av sina noveller, hur han som liten var kväll brukade läsa: "lyktan kommer, lyktan går, den Gud älskar lyktan får". Han kände tydligen vid denna späda ålder inte betydelsen av ordet "lyckan" och ersatte därför omedvetet det obekanta och obegripliga ordet med ett lättfattligt och välbekant. Men cellerna i vår kropp veta lika litet som små barn någonting om "lycka" eller "frälsning" eller ett "verk". Och det är de som bestämma vår strävan. Allt vad organiskt liv heter på jorden flyr smärtan och söker vällusten. Filosoferna tänka blott på sin egen medvetna strävan, sin v e l a d e strävan, vilket vill säga: sin inbillade strävan. Men den omedvetna delen av vår var-

else är tusenfalt större och mäktigare än den medvetna,
och det är den som ger utslaget.

Birck: Allt vad du där säger överbevisar mig bara om
att jag har rätt i det jag sade nyss och att språket måste
göras om från början om man skall kunna tala filosofi med
något resultat.

Markel: Ja herregud, behåll din lycka, jag tar vällusten.
Skål! Men om jag också går med på ditt språkbruk, så blir
det inte därför sant att alla sträva efter lycka. Det finns
människor som sakna alla anlag för lycka och som känna
det med pinsam, obeveklig klarhet. Sådana människor strä-
va inte efter lycka utan efter att få litet form och stil på
sin olycka.

Och han tillade plötsligt, oförmodat:

— Glas hör till dem.

Det sista kom så förbluffande att jag satt svarslös. Ända
tills jag hörde honom nämna mitt namn trodde jag att han
talade om sig själv. Jag tror det ännu, och det var för att
dölja det som han slog ner på mig. Det blev en tryckande
tystnad. Jag såg ut över glittret på strömmen. I skymas-
sorna över Rosenbad öppnades en ljus månbristning, och
det föll ett blekt silver över det gamla Bondeska husets pe-
larfasad. Ute över Mälaren seglade långsamt ett rödviolett
moln för sig själv, lösryckt från de andra.

25 juli.

Helga Gregorius: alltjämt ser jag henne för mig. Ser
henne som jag såg henne i drömmen: naken, sträckande

emot mig ett knippe mörka blommor. Kanske röda, men mycket mörka. Ja, rött blir ju alltid så mörkt i skymningen.

Ingen natt går jag till sängs utan en önskan att hon åter ville komma till mig i drömmen.

Men det tvetydiga leendet har min fantasi så småningom arbetat bort, och jag ser det inte längre.

*

Jag önskar prästen vore väl tillbaka. Så kom hon säkert hit igen. Jag vill se henne och höra hennes röst. Jag vill ha henne hos mig.

26 juli.

Prästen: också hans ansikte förföljer mig — förföljer mig med just det uttryck som det fick vid vårt sista sammanträffande, då jag förde samtalet in på de könsliga sakerna. Hur skall jag kunna skildra detta uttryck? Det är uttrycket hos en, som luktar på något ruttet och i hemlighet finner lukten god.

Det är månsken. Alla mina fönster stå öppna. I mitt arbets-
rum brinner lampan; jag har ställt den på chiffonjéklaffen
för att den skall vara i lä för nattvinden, som svagt susan-
de fyller gardinen som ett segel. Jag går av och an genom
rummen, då och då stannar jag vid klaffen och kastar ner
en rad. Jag har stått länge vid ett av fönsterna i salen och
sett ut och lyssnat efter alla nattens underliga ljud. Men
denna natt är det tyst därnere under de mörka träden. Det
sitter bara en ensam kvinna på en bänk; hon har suttit där
länge. Och månen skiner.

*

Då jag kom hem i middags låg det en bok på mitt skriv-
bord. Och när jag öppnade den föll det ur ett visitkort:
Eva Mertens.

Jag minns att hon talade om den boken häromdagen,
och att jag sade, helt löst, att det skulle vara roligt att läsa
den. Jag sade det av artighet för att inte göra mig skyldig
till ringaktning för något som intresserade henne. Sedan
har jag inte tänkt på den saken mer.

Men hon har alltså tänkt på den.

Är jag nu mycket dum om jag tror, att hon är litet förtjust i mig? Jag ser ju på henne att hon älskar. Men om hon älskar en annan, hur kan hon då ha så mycket intresse över för mig?

Hon har två klara, uppriktiga ögon och ett rikt brunt hår. Näsan är litet felmodellerad. Munnen — munnen kommer jag inte ihåg. Åjo, den är röd och litet stor; men jag ser den inte riktigt för mig. Och riktigt känner man väl bara den mun som man har kysst, eller som man har längtat mycket efter att kyssa. — Jag vet en mun som jag känner.

Jag sitter och ser på det lilla enkla, korrekta visitkortet med namnet i blek litograferad skrift. Men jag ser mer än namnet. Det finns ett slags skrift, som bara blir synlig under inflytande av stark värme. Värmen vet jag inte om jag har, men jag läser den osynliga skriften ändå: "kyss mig, var min man, giv mig barn, låt mig älska. Jag längtar efter att få älska."

"Här gå många unga jungfrur, som ännu ingen man har rört, och som icke hava gott av att sova ensamma. Sådana skola hava goda män."

Så ungefär talade Zarathustra. Den riktiga Zarathustra, den gamla, inte han med piskan.

Är jag en "god man"? Skulle jag kunna bli hennes goda man?

Jag undrar vilken bild hon kan ha gjort sig av mig. Hon känner mig inte. I hennes lätta hjärna, som bara rymmer några ömma och vänliga tankar på dem som stå henne nära, och dessutom kanske litet skräp, har det formats en bild som har några yttre drag av mig, men som icke är jag, och i den bilden har hon funnit behag, vill det synas — gud vet varför, kanske huvudsakligen därför att jag är ogift. Men om hon kände mig, om hon till exempel av en slump skulle råka få läsa vad jag skriver på dessa lappar om kvällarna, ja, då tänker jag att hon med en skygg men riktig instinkt skulle draga sig undan från de vägar där jag går fram. Jag tänker att svalget mellan våra själar är litet väl stort. Eller vem vet: om man skall ge sig i äktenskap, är det kanske tvärtom en lycka att svalget är så stort — vore det mindre, kunde jag bli frestad att söka fylla det, och det slutade aldrig väl! Den kvinna, som jag kan blotta mig för, finns inte! Men ändå: att leva sida vid sida med henne och aldrig släppa henne in i det som verkligen är jag och mitt — får man göra så med en kvinna? Låta henne famna en annan i tron att det är jag — får man göra så?

Åja, nog får man det. Så går det väl egentligen alltid till; man vet så litet om varandra. Man famnar en skugga och man älskar en dröm. Och vad vet för resten jag om henne?

Men jag är ensam, och månen skiner, och jag längtar efter en kvinna. Jag kunde ha lust att gå till fönstret och ropa efter henne hit upp, hon som sitter ensam på bänken därnere och väntar på någon som icke kommer. Jag har portvin och brännvin och öl och god mat och en bäddad säng. Det vore ju himmelriket för henne.

*

Jag sitter och tänker på Markels ord häromkvällen om mig och lyckan. Jag kunde sannerligen ha lust att gifta mig och bli så lycklig som en julgris bara för att förarga honom.

3 augusti.

Ja, månen. Där är den igen.

Jag minns så många månar. Den äldsta jag minns är den som satt bakom fönsterrutan i min första barndoms vinterkvällar. Den satt alltid över ett vitt tak. En gång läste min mor Viktor Rydbergs "Tomten" högt för oss barn; då kände jag strax igen den. Men den hade ännu ingen av de egenskaper som den sedan fick, den var varken mild och sentimental eller kall och hemsk. Den var bara stor och blank. Den hörde till fönstret, och fönstret hörde till rummet. Den bodde hos oss.

Sedan, då man hade märkt att jag var musikalisk och låtit mig taga pianolektioner och jag var så långt kommen att jag kunde fingra litet på Chopin, då blev månen ny för mig. Jag minns en natt, jag var väl tolv år ungefär, då jag låg vaken och icke kunde sova, därför att jag hade Chopins tolfte nocturne i huvudet, och därför att det var månsken. Det var på landet, vi hade nyss flyttat ut och det fanns ännu ingen rullgardin i rummet där jag låg. Månljuset rann i en stor vit flod in i rummet och över sängen och huvudgärden. Jag satt upprätt i sängen och sjöng. Jag måste sjunga den underbara melodin utan ord, jag kunde icke komma ifrån den. Den blev till ett med månskenet och i bägge låg det ett löfte om något oerhört, som en gång skulle komma på min lott, något jag vet icke vad, en osalig lycka eller en olycka som var mera värd än all jordens lycka, något brinnande och ljuvt och stort som väntade mig. Och jag sjöng tills min far stod i dörren och röt åt mig att sova.

Det var Chopins måne. Och det var samma måne som sedan skälvde och brann över vattnet i augustikvällarna, då Alice sjöng. Jag älskade henne.

Så minns jag min Uppsalamåne. Aldrig har jag sett en måne med ett så kallt och frånvarande ansikte som den. Uppsala har ett helt annat klimat än Stockholm, ett inlandsklimat med torrare och klarare luft. En vinternatt gick jag av och an med en äldre kamrat på de vita snögatorna med deras gråa hus och svarta skuggor. Vi talade filosofi. Med mina sjutton år trodde jag knappt på Gud; men jag satte mig på tvären mot darwinismen: med den tycktes mig allt bli meningslöst, dumt, tarvligt. Vi gingo in under ett svart tunnvalv och uppför några trappsteg och stodo tätt under domkyrkans murar. Med sina byggnadsställningar liknade den skelettet av något oerhört djur från döda formationer. Min vän talade med mig om vår släktskap med våra bröder djuren; han talade och bevisade och skrek med en gäll och okultiverad röst, som ekade mellan murarna, och han bröt på något landsmål. Jag svarade inte mycket, men jag tänkte för mig själv: Du har orätt, men jag har ännu läst och tänkt för litet för att kunna vederlägga dig. Men vänta — vänta bara ett år, och jag skall gå med dig på denna samma plats, i månsken liksom nu, och jag skall bevisa för dig hur orätt du hade och hur dum du var. Ty det som du säger kan inte, får inte på några villkor vara sant; om det är sant, då vill jag inte vara med längre, i en sådan värld har jag ingenting att skaffa. Men kamraten pratade och gestikulerade med ett litet tyskt häfte, som han höll i handen, och som hade försett honom med hans argument. Plötsligt stannade han mitt i månskenet, slog upp boken på ett ställe, där det var några illustrationer i texten och räckte mig den. Månen sken så klart att man både kunde se vad de föreställde och läsa underskriften. Det var bilderna av tre kranier, tämligen snarlika —: skallarna av en orangutang, en australneger och Immanuel Kant. Med avsky slängde jag boken långt ifrån mig. Kamraten blev ond och flög på mig, vi brottades och slogs i månskenet, men han var starkare och fick mig under sig och "tvättade" mig på det gamla skolpojkssättet i ansiktet med snö.

Det gick ett år och det gick flera, men jag kände mig aldrig vuxen att överbevisa honom; jag fann, att jag måste låta den uppgiften ligga. Och fast jag inte rätt förstod vad jag hade att skaffa i denna värld, stannade jag ändå kvar.

Och många månar har jag sett sedan dess. En blid och sentimental måne mellan björkar vid kanten av en sjö... Månen ilande genom dimmorna över havet... Månen på flykt genom rivna höstmoln... Kärleksmånen, som lyste på Gretchens trädgårdsfönster och Julias balkong... En icke längre ung flicka, som gärna ville bli gift, sade mig en gång, att hon måste gråta då hon såg månen lysa över en liten stuga i skogen... Månen är liderlig och lysten, säger en poet. En annan försöker lägga in en etiskt-religiös tendens i månstrålarna och liknar dem vid trådar, som av

kära avlidna spinnas till ett nät att fånga en vilsekommen
själ i... Månen är för ungdomen ett löfte om allt det oer-
hörda som väntar, för den äldre ett vårdtecken över att
löftet sveks, en erinran om allt som brast och gick sön-
der...

Och vad *är* månskenet?

Solsken i andra hand. Försvagat, förfalskat.

*

Den måne, som nu kryper fram bakom kyrktornet, har
ett olyckligt ansikte. Det synes mig som om dragen vore
vanställda, upplösta, uppfrätta av ett namnlöst lidande.
Stackars man, varför sitter du där? Är du dömd som för-
falskare — har du förfalskat solskenet?

I sanning, det är icke något litet brott. Den som blott
vore säker att aldrig begå detsamma.

7 augusti.

Ljus!
... Jag reste mig i bädden och tände ljuset på nattduks-
bordet. Jag kallsvettades, håret klibbade vid pannan...
Vad var det jag hade drömt?

Återigen detsamma. Att jag dödade prästen. Att han
måste dö, emedan han redan luktade lik, och att det var min
plikt som läkare att göra det... Jag fann det svårt och
obehagligt, det var något som aldrig förr hade förekommit
i min praktik — jag ville gärna konsultera en kollega, ville

inte bära ansvaret ensam i en så allvarlig sak... Men fru Gregorius stod naken i en vrå långt borta i halvmörkret och försökte skyla sig med ett litet svart flor. Och då hon hörde mig nämna ordet "kollega", fick hon ett så förskrämt och förtvivlat uttryck i ögonen att jag förstod att det måste ske strax, att hon var förlorad annars, på något sätt som jag inte kunde reda ut, och att jag måste göra det ensam och så att ingen någonsin kunde få veta det. Så gjorde jag det då med bortvänt huvud. Hur gick det till? Jag vet inte. Jag vet bara att jag höll för näsan och vände bort huvudet och sade för mig själv: seså, nu är det gjort. Nu luktar han inte mer. Och jag ville förklara för fru Gregorius, att det var ett mycket sällsynt och egendomligt fall: de flesta människor lukta ju först efter döden och då begraver man dem; men om någon luktar redan som levande, måste man döda honom, på vetenskapens nuvarande ståndpunkt finns det ingen annan utväg.. Men fru Gregorius var borta, det var bara ett stort tomrum omkring mig, i vilket allt tycktes vika undan och fly för mig... Mörkret ljusnade till en askgrå månskymning... Och jag satt upprätt i bädden alldeles vaken och lyssnade till min egen röst...

Jag steg upp, klädde på mig en smula, tände ljus i alla rummen. Jag gick av och an, regelbundet som ett urverk, jag vet inte hur länge. Till sist stannade jag framför spegelbordet i salen och stirrade på mitt bleka och förryckta jag som på en främmande. Men av fruktan att ge vika för en plötslig impuls och slå sönder den gamla spegeln, som sett min barndom och nästan hela mitt liv och mycket av det som skedde innan jag fanns, gick jag bort och ställde mig vid ett öppet fönster. Det var icke månsken nu längre, det regnade, och regnet blåste mig mitt i ansiktet. Det var skönt.

"Drömmar fara som strömmar" ... Jag känner dig, gamla ordspråksvisdom. Och det mesta man drömmer är i verkligheten icke värt en tanke — lösa skärvor av det man upplevat, ofta av det likgiltigaste och dummaste, av det som medvetandet inte funnit värt att taga vara på men som ändå lever sitt skuggliv för sig själv i någon av hjärnans skräpkamrar. Men det finns också andra drömmar. Jag minns en gång hur jag som pojke satt och grubblade en hel eftermiddag över ett geometriskt problem och måste gå till sängs utan att ha löst det: i sömnen arbetade hjärnan vidare för sig själv och gav mig lösningen i drömmen. Och den var riktig. Det finns också drömmar som äro bubblor från djupet. Och när jag rätt tänker efter: — många gånger har en dröm lärt mig något om mig själv. Många gånger har drömmen avslöjat för mig önskningar, som jag icke v i l l e önska, begär, som jag icke ville veta av vid dagsljus. De önskningarna och begären har jag sedan vägt och prövat i fullt solsken. Men de tålde sällan ljuset, och merendels stötte jag dem tillbaka ner i de skumma djup dit de hörde. I nattens drömmar kunde de sedan komma igen på nytt, men jag kände igen dem och hånlog åt dem även i drömmen, tills de uppgåvo alla krav på att stiga upp och leva i verkligheten och ljuset.

Men detta är något annat. Och jag vill veta vad det är; jag vill väga och pröva. Det är en av grunddrifterna i mitt väsen att icke tåla något halvmedvetet och halvklart hos mig själv, där det står i min makt att taga fram det och hålla det upp i ljuset och se efter vad det är.

Alltså, låt oss tänka efter:

En kvinna kom till mig i sin nöd, och jag lovade att hjälpa henne. Hjälpa, ja — vad det betydde eller kunde komma att betyda hade ju ingen av oss tänkt sig in i då. Det som hon begärde av mig var ju så enkelt och lätt. Det kostade mig varken möda eller betänkligheter, det hela roade mig snarast, jag gjorde den vackra unga kvinnan en delikat tjänst på samma gång som jag spelade den vidriga prästen ett elakt spratt, och i min tjocka svartgråa spleen kom denna episod och lyste upp som en rosengnista från en värld, stängd för mig... Och för henne betydde det ju lyckan och livet — så som hon såg det och som hon fick mig att se det. Så lovade jag då att hjälpa henne, och gjorde det — det som skulle göras då.

Men sedan har det hela så småningom fått en annan uppsyn, och den här gången får jag se till att komma till botten på affären innan jag går vidare.

Jag lovade att hjälpa henne; men jag tycker inte om att göra en sak till hälften. Och nu vet jag ju, och har vetat det länge: hon är inte hjälpt med mindre än att hon blir fri.

Om ett par dar kommer prästen tillbaka — så börjar den gamla historien på nytt. Jag känner ju honom nu. Men det är inte bara detta; det fick hon väl till sist se till att komma över på egen hand, hur svårt det må vara, och fast det river sönder hennes liv och gör henne till en trasa.

Men det är något som säger mig så visst, som om det re-
dan hade skett, att hon snart skall bära ett barn under sitt
hjärta. Så, som hon älskar nu, lär hon inte komma förbi
den saken. Hon vill det kanske inte ens. Och då: om detta
sker — n ä r detta sker — vad så...? Då måste prästen
bort. Alldeles bort.

Det är sant: om detta sker, så kan det ju hända att hon
kommer till mig och ber mig att "hjälpa" henne med sam-
ma slags hjälp som så många förgäves ha tiggt mig om —
och gör hon det: — ja, så får jag väl då göra henne till
viljes, ty jag vet inte hur jag skall kunna göra henne emot
i något. Men så är jag också led vid det hela, och så får
historien vara slut, vad min andel beträffar.

Men jag känner, jag känner och vet att det inte kom-
mer att gå till på det sättet. Hon är inte lik de andra, hon
kommer aldrig att be mig om d e n hjälpen.

Och då måste prästen bort.

Hur jag vänder det, ser jag ingen annan lösning. Att
bringa honom till förnuft? Att få honom att inse, att han
inte längre har någon rätt att smutsa hennes liv, att han
måste giva henne fri? Nonsens. Hon är hans hustru; han
är hennes man. Allt ger honom rätt mot henne: världen,
gud , hans eget samvete. Kärleken är naturligtvis detsamma
för honom som den var för Luther: ett naturbehov, som
hans gud en gång för alla har givit honom lov att tillfreds-
ställa med just denna kvinna. Att hon möter hans begär
med kyla och olust kan aldrig ett ögonblick komma honom
att tvivla på sin "rätt". För övrigt föreställer han sig kan-
ske, att hon i dessa ögonblick i hemlighet känner detsamma

som han, men han finner det vara alldeles i sin ordning att en kristen kvinna och prästhustru icke vidgår något sådant ens för sig själv. Till och med för egen del tycker han inte riktigt om att kalla den där saken ett nöje; han vill hellre att den skall heta "plikt" och "guds vilja"... Nej, bort med en sådan, bort med honom, bort!

Hur var det: jag sökte ju en gärning, jag tiggde om den. Är detta alltså gärningen — m i n gärning? Den som skall göras, den som jag ensam ser att den måste göras och som ingen kan och vågar göra mer än jag?

Man skulle kunna säga att den ser litet besynnerlig ut. Men det är intet skäl, varken mot eller för. "Storheten", "skönheten" i en handling, det är reflexskenet av dess verkan på publiken. Men som det naturligtvis är min anspråkslösa mening att hålla allt vad publik heter utanför den här saken, kommer den synpunkten inte i betraktande. Jag har bara med mig själv att göra. Jag vill syna min gärning i sömmarna; jag vill se hur den ser ut inuti.

Först och främst: det är alltså verkligen allvar att jag vill döda prästen?

"Vill" — ja, vad betyder det? En människovilja är ingen enhet; den är en syntes av hundra stridiga impulser. En syntes är en fiktion; viljan är en fiktion. Men vi behöva fiktioner, och ingen fiktion är nödvändigare för oss än viljan. Alltså: v i l l d u?

Jag vill, och jag vill icke.

Jag hör stridiga röster. Jag måste hålla förhör med dem; jag måste veta v a r f ö r den ena säger: jag vill, och den andra: jag vill icke.

Först du som säger "jag vill": — varför vill du? Svara!
— Jag vill handla. Liv är handling. Då jag ser något
som upprör mig vill jag gripa in. Jag griper icke in var
gång jag ser en fluga i ett spindelnät, ty spindlarnas och
flugornas värld är icke min, och jag vet att man måste be-
gränsa sig, och jag tycker inte om flugor. Men om jag ser
en liten vacker insekt med guldskimrande vingar i nätet,
då river jag sönder det och dödar spindeln om det behövs,
ty jag tror inte på att man inte får döda spindlar. — Jag
går i skogen; jag hör nödrop; jag springer efter skriket
och finner en man i begrepp att våldföra en kvinna. Jag
gör naturligtvis vad jag kan för att befria henne, och om
det blir nödvändigt, dödar jag mannen. Lagen ger mig
ingen rätt därtill. Lagen ger mig rätt att döda en annan
blott till nödvärn, och med nödvärn menar lagen blott
värn i yttersta nöd för eget liv. Lagen tillåter mig icke
att döda någon för att rädda min far eller min son eller
min bästa vän, och icke för att skydda min älskade för
misshandel eller våldtäkt. Lagen är löjlig, kort sagt, och
ingen anständig människa låter sitt handlingssätt bestäm-
mas av den.
— Men den oskrivna lagen? Moralen...?
— Käre vän, moralen befinner sig, det vet du likaväl
som jag, i flytande tillstånd. Den har undergått märkbara
förändringar till och med på de ilsnabba ögonblick som
vi två ha levat i världen. Moralen, det är den berömda
kritcirkeln kring hönan: den binder den som tror på den.
Moralen det är andras åsikter om det rätta. Men här var
det ju fråga om min! Det är sant, i en mängd fall, kanske

i de allra flesta och oftast förekommande, stämmer min åsikt om det rätta någorlunda överens med de andras, med "moralen"; och i en mängd andra fall finner jag divergensen mellan mitt jag och moralen icke vara värd de risker som en avvikelse kan draga med sig, och underordnar mig därför. På så sätt blir moralen för mig medvetet vad den i praktiken är för alla och envar, ehuru icke alla veta av det: — icke en fast och över allting bindande lag, men en i vardagslag brukbar modus vivendi i det ständiga krigstillståndet mellan jaget och världen. Jag vet och erkänner, att den gängse moralen så väl som den borgerliga lagen i sina stora allmänna grunddrag uttrycker en rättsuppfattning, som är frukten av ooverskådliga tiders från släkte till släkte ärvda, långsamt ökade och ändrade erfarenhet om de nödvändigaste villkoren för människors sammanlevnad med varandra. Jag vet, att i stort sett dessa lagar någorlunda allmänt måste respekteras, om livet alls skall kunna levas här på jorden av varelser sådana som vi, varelser, otänkbara inom varje annan ram än samhällsorganisationens och uppfödda med alla dess växlande rätter, bibliotek och museer, polis och vattenledning, ljus på gatorna, natthämtning, vaktparad, predikningar, operabalett och så vidare. Men jag vet också, att de människor som det har varit något bevänt med aldrig ha tagit dessa lagar pedantiskt. Moralen hör till husgerådet, inte till gudarna. Den skall begagnas; den skall inte härska. Och den skall begagnas med urskillning, "med ett litet saltkorn". Det är klokt att ta seden dit man kommer; det är enfaldigt att göra det med övertygelse. Jag är en resande i världen; jag ser på människornas seder och tar upp vad jag har bruk för. Och moral kommer av "mores", seder; den vilar helt och hållet på seden, bruket; den har ingen annan grund. Och att jag genom att döda den där prästen begår en handling som strider mot bruket behöver du inte undervisa mig om. Moralen — du skämtar!

— Jag tillstår att jag gjorde frågan mera för formens skull. Jag tror att vi förstå varandra beträffande moralen. Men jag släpper dig inte därför. Frågan gällde från början väsentligen inte hur du kan våga göra detta som vi tala om, ehuru det strider mot bruk och moral; den gällde väsentligen, varför du v i l l göra det. Du svarade med liknelsen om våldsmannen som skändar en kvinna i skogen. Vilken jämförelse! Å ena sidan en rå förbrytare, å den andra en oförvitlig och aktningsvärd gammal präst!

— Ja, jämförelsen haltar en smula. Den gällde en okänd kvinna och en okänd man och ett blott ofullständigt känt förhållande mellan dem. Det är inte säkert, att den okända kvinnan är värd att man dödar en man för hennes skull. Det är inte heller säkert, att den okände mannen, som möter en ung kvinna i djupa skogen och plötsligt blir besatt och överväldigad av Pan, därför är värd att dödas. Det är slutligen inte säkert att någon sådan fara är för handen som gör ett ingripande nödvändigt! Flickan skriker för att hon är rädd och för att det gör ont, men det är inte sagt att skadan bör mätas efter skriket. Det kan hända att de två bli goda vänner innan de skiljas åt. På landsbygden ha många äktenskap börjat med våldtäkt och inte blivit sämre än andra, och kvinnorov var en gång i tiden den

normala formen för förlovning och giftermål. Om jag allt-
så i det exempel, som jag valde, dödar mannen för att be-
fria kvinnan — ett handlingssätt som jag tänker att mäng-
den av moraliskt tänkande människor skulle gilla, utom
juristerna, och som inför en fransk eller amerikansk jury
skulle inbringa mig ett eklatant frikännande med applåd
av publiken — så handlar jag rent impulsivt, utan över-
läggning och gör kanske en stor dumhet. Men vår affär är
helt annorlunda beskaffad. Här är det inte fråga om ett
enstaka fall av våldtäkt utan om ett lifsfarligt förhållande,
som väsentligen består i fortsatt, upprepad våldtäkt. Här
gäller det inte en okänd man av okänt värde, utan en som
du känner alltför väl: pastor Gregorius. Och här gäller
det att hjälpa och rädda, inte en okänd kvinna, utan din
hemligt älskade ...

— Nej, tyst, det är nog, var tyst ...!

— Kan en man låta den som han älskar skändas och
smutsas och trampas inför sina ögon?

— Var tyst! Hon älskar en annan. Det här är hans sak,
inte min.

— Du vet att du älskar henne. Alltså är det din sak.

— Var tyst! ... Jag är läkare. Och du vill att jag skall
smyga döden på en gammal man som kommer till mig för
att söka min hjälp!

— Du är läkare. Hur ofta har du inte uttalat frasen: min
plikt som läkare. Här har du den nu: jag tycker att den
är tydlig. Din plikt som läkare är att hjälpa den som kan
och bör hjälpas, och att skära bort det ruttna köttet som
fördärvar det friska. Det är visserligen ingen ära att skör-

da: du kan inte låta någon få veta det, då sätter man dig på Långholmen eller Konradsberg.

Jag erinrar mig nu efteråt att en vindfläkt plötsligt tog gardinen och förde den mot ljuset, det tog eld ytterst i kanten, men jag kvävde strax den lilla blå lågan i min hand och stängde fönstret. Jag gjorde dessa saker automatiskt, nästan utan att veta det. Regnet piskade fönsterglaset. Ljusen brunno stelt och stilla. På det ena av dem satt en liten spräcklig grå nattfjäril.

Jag satt och stirrade på ljusens stela lågor och blev liksom borta. Jag tror att jag sjönk i ett slags dvala. Kanske sov jag en stund. Men plötsligt spratt jag till som vid en häftig stöt och mindes allt: frågan som måste lösas, beslutet som måste fattas innan jag kunde söka vila.

Alltså, du som i n t e vill: — v a r f ö r vill du inte?

— Jag är rädd. Först och främst rädd för upptäckt och "straff". Jag underskattar inte din omtänksamhet och klokhet, och jag tror nog att du kommer att ordna det så att det går bra. Jag håller det för sannolikt. Men risken finns där ändå. Slumpen... Man vet aldrig vad som kan hända.

— Man måste kunna riskera något här i världen. Du ville en handling. Har du glömt vad du skrev här i dagboken för inte så många veckor sedan, innan vi ännu visste något om allt detta som har kommit sedan! — ställning, anseende, framtid, allt det där var du beredd att packa in på det första skepp som kom lastat med en handling... Har du glömt det? Skall jag visa dig bladet?

— Nej. Jag har inte glömt det. Men det var inte sant. Det var skryt. Jag känner det annorlunda nu, när jag ser skeppet komma. Du kan väl förstå att jag inte hade tänkt mig ett sådant satans spökskepp? Det var skryt! Det var lögn! Det är ingen som hör oss; jag kan vara uppriktig. Mitt liv är tomt och eländigt och jag ser ingen mening i det, men jag hänger fast vid det ändå, jag tycker om att gå i solskenet och se på folket, och jag vill inte ha något att gömma på och vara rädd för, låt mig vara i fred!

— Fred, nej — det blir ingen fred ändå. Vill du att jag skall se den jag älskar drunkna i en smutspöl, då jag kan hjälpa henne upp med ett enda djärvt och raskt grepp — blir det fred då, kan jag någonsin få fred om jag vänder henne ryggen och går ut i solskenet och ser på folket? Blir det fred?

— Jag är rädd. Inte så mycket för upptäckt; jag har ju alltid mina piller och kan dra mig ur spelet om det skulle börja osa katt. Men jag är rädd för mig själv. Vad vet jag om mig själv? Jag är rädd för att komma in i något som binder mig och snärjer mig och aldrig släpper mig mera. Det som du begär av mig möter inte något hinder i mina åsikter; det är en handling som jag skulle gilla hos en annan, förutsatt att jag visste det som jag vet; men den passar inte mig. Den strider mot mina böjelser, vanor, instinkter, mot allt det som väsentligen är jag. Jag är inte byggd för sådant. Det finns tusentals raska, präktiga karlar, som döda en människa lika lätt som en fluga, varför kan inte någon av dem göra det? Jag är rädd att få dåligt samvete; man får det av att försöka krypa ur sitt skinn. Att "hålla sig i skinnet" betyder att känna sina gränser: jag vill hålla mig i skinnet. Människorna handla dagligen med största

lätthet och behag tvärt emot sina uppriktigaste och mest
välgrundade åsikter, och deras samveten må som fisken i
vattnet; men försök att handla mot din innersta struktur,
då får du höra hur samvetet skriker! Då blir det kattmu-
sik! Du säger att jag har tiggt och bett om en handling —
det är omöjligt, det är inte sant, det måste vara något miss-
förstånd. Det är otänkbart att jag kan ha haft en så van-
vettig önskan — jag är född till åskådare, jag vill sitta be-
kvämt i en loge och se på hur folk mördar varandra på
scenen, men själv har jag ingenting där att göra, jag vill
vara utanför, låt mig vara i fred!

— Lump! Du är en lump!

— Jag är rädd. Detta är ju en mardröm. Vad har jag att
göra med dessa människor och deras smutsiga affärer!
Prästen är mig så vidrig att jag är rädd för honom... Jag
vill inte ha någon beblandelse mellan hans öde och mitt.
Och vad vet jag om honom? Det som är mig vidrigt är
inte "han", han själv, utan det intryck han gjort på mig —
han har säkert träffat hundra och tusen människor utan
att verka på dem som han gör på mig. Den bild han har
avsatt i min själ kan inte plånas ut för att han försvinner,
allraminst om han försvinner genom mig. Han har redan
som levande "besatt" mig mer än jag tycker om, vem vet
vad han kan hitta på som död? Jag känner till det där, jag
har läst Raskolnikov, jag har läst Thérèse Raquin. Jag tror
inte på spöken, men jag vill inte ställa så till att jag kan
komma att tro på dem. Vad har jag med allt det här att
göra? Jag vill resa bort. Jag vill se skogar och berg och
floder. Jag vill gå under stora gröna träd med en liten

vackert inbunden bok i fickan och tänka vackra, fina, goda, lugna tankar, tankar som man kan säga högt och få beröm för. Släpp mig, låt mig resa i morgon...

— Lump!

Ljusen brunno med smutsröda lågor mot den grå gryningsdagern. Nattfjäriln låg på skrivbordet med svedda vingar.

Jag kastade mig på sängen.

8 augusti.

Jag har ridit och badat, jag har haft min mottagning och gjort mina sjukbesök som vanligt. Och åter kommer kvällen. Jag är trött.

Kyrkans tegeltorn står så rött i kvällsolen. Trädkronornas grönska är så mäktig och mörk just nu, och det blå därbakom är så djupt. Det är lördagskväll; små fattiga barn hoppa hage nere på sandgången. I ett öppet fönster sitter en man i skjortärmarna och blåser flöjt. Han blåser intermezzot ur Cavalleria rusticana. Det är underligt med melodier och deras smitta. För knappt tio år sedan steg denna melodi upp ur kaos och smög sig på en fattig italiensk musiker, kanske en kväll i skymningen, kanske en kväll som denna. Den befruktade hans själ, den födde andra melodier och andra rytmer och gjorde honom i förbund med dem i ett slag till en världsberömdhet och gav honom ett nytt liv med ny glädje och nya sorger och en förmögenhet

att spela bort i Monte Carlo. Och melodien breder ut sig
som en plötslig smitta hela världen runt och gör sin ödes-
bestämda gärning på gott och ont, färgar kinder röda och
kommer ögon att glänsa, blir beundrad och älskad av ota-
liga och väcker leda och äckel hos andra, ofta hos de sam-
ma som älskade den först; ringer envist och obarmhärtigt
i den sömnlöses öron om natten, retar affärsmannen som
ligger och grämer sig över att aktierna som han sålde i
förra veckan ha stigit, stör och pinar tänkaren som vill
samla sin tanke till att formulera en ny lag, eller dansar
omkring i tomrummet i en idiots hjärna. Och medan man-
nen, som "skapade" den, kanske är mera utpinad och led
vid den än någon annan, river den ännu kväll efter kväll
skallande applådsalvor av publiken på all världens förlus-
telseställen, och mannen där borta blåser den med känsla
på sin flöjt.

9 augusti.

Att vilja är att kunna välja. Å, att det skall vara så svårt
att välja!

Att kunna välja är att kunna försaka. Å, att det skall
vara så svårt att försaka!

En liten prins skulle göra en utfärd; man frågade ho-
nom: vill prinsen åka med häst eller fara i båt? Och han
svarade: jag vill åka med häst och fara i båt.

Allt vilja vi ha, allt vilja vi vara. Vi vill ha all lyckans
lust och allt lidandets djup. Vi vill ha handlingens patos

och åskådandets ro. Vi vill både ha öknens stillhet och larmet på forum. På en gång vilja vi vara den ensammes tanke och folkets röst; vi vilja vara både melodi och ackord. På en gång! Hur vore det möjligt!

"Jag vill åka med häst och fara i båt."

10 augusti.

Ett ur utan visare har något utslätat och tomt som erinrar om ansiktet hos en död. Jag sitter just och ser på ett sådant ur. Det är för resten inte något ur, det är bara en tom boett med en gammal vacker urtavla. Jag såg den nyss i fönstret hos den puckelryggige urmakaren i gränden, då jag gick hemåt i den heta gula skymningen — en underlig skymning; så har jag tänkt mig slutet på en dag i öknen... Jag gick in till urmakaren, som har reparerat min klocka en gång, och frågade vad det var för ett ur som inte hade några visare. Han log med sitt koketta puckelryggsleende och visade mig den vackra gamla silverboetten, ett fint arbete; han hade köpt klockan på auktion, men verket var utslitet, obrukbart, och han tänkte sätta dit ett nytt. Jag köpte boetten som den var.

Jag tänker lägga in några av mina piller i den och bära den i högra västfickan som pendang till klockan. Det är bara en ny variant av Demostenes' idé med giftet i pennan. Det finns ingenting nytt under solen!

*

Nu kommer natten; en stjärna blinkar redan genom bladverket i den stora kastanjen. Jag känner att jag får sova gott i natt; det är svalt och lugnt i mitt huvud. Ändå har jag svårt att slita mig från trädet och stjärnan.

Natten. Ett så vackert ord! Natten är äldre än dagen, sade de gamla gallerna. De trodde att den korta förgängliga dagen var född av den oändliga natten.

Den stora, oändliga natten.

Nå, det är nu också ett talesätt ... Vad är natten, vad är det som vi kalla natten? Det är den smala koniska skuggan av vår lilla planet. En liten spetsig kägla av mörker mitt i ett hav av ljus. Och detta ljushav, vad är det? En gnista i rymden. Den lilla ljuskretsen kring en liten stjärna: solen.

Å, vad är det för en pest som har gripit människorna att fråga om allting vad det är? Vad är det för ett gissel som har piskat dem ut ur den övriga syskonringen av krälande och gående och springande och klättrande och flygande varelser på jorden, ut att se på sin värld och sitt liv uppifrån, utifrån, med kalla främmande ögon, och finna det smått och ingenting värt? Vart bär det hän, hur skall det sluta? Jag måste tänka på den klagande kvinnorösten som jag hörde i min dröm, jag hör den ännu i mina öron, en gammal, förgråten kvinnas röst: världen brinner, världen brinner!

Du skall se på din värld från din egen synpunkt och icke från någon tänkt punkt ute i rymden; du skall blygsamt mäta med ditt eget mått, efter ditt stånd och dina villkor, människan-jordbebyggarens stånd och villkor. Då är jor-

den stor nog och livet en viktig sak, och natten oändlig
och djup.

12 augusti.

Så grant solen lyser på kyrktuppen i kväll!

Jag håller av det vackra och förståndiga djuret som all-
tid svänger efter vinden. Det är mig en ständig erinran om
den hane som vid ett visst tillfälle gol tre resor, och en
sinnrik symbol av den heliga kyrkan, som lever av att för-
neka sin mästare.

På kyrkogården promenerar församlingens herde lång-
samt av och an i den vackra sommarkvällen, stödd på en
yngre ämbetsbroders arm. Mitt fönster står öppet, och det
är så stilla att ett och annat ord av vad de säga tränger
ända hit upp. De tala om det förestående valet till pastor
primariiämbetet, och jag hörde att kyrkoherden nämnde
namnet Gregorius. Han uttalade detta namn utan någon
förtjusning och med en icke helt oblandad sympati. Gre-
gorius hör till de präster som alltid ha haft menigheten för
sig och som följd därav ämbetsbröderna emot sig. Jag hör-
de på tonfallet, att kyrkoherden nämnde hans namn mera
i förbigående och att han icke ansåg honom ha några all-
varliga utsikter.

Det är också min mening. Jag tror inte att han har någ-
ra utsikter. Det skulle överraska mig mycket om han blev
pastor primarius . . .

*

Det är den 12 augusti i dag; han for till Porla den 4 eller
5 juli och skulle vara där i sex veckor. Då dröjer det alltså
nte många dar innan man har honom här igen, pigg och
kry efter sin badsejour.

13 augusti.

Hur det skall gå till? Det har jag vetat länge. Slumpen
har gjort, att lösningen på problemet så gott som ger sig
jälv: mina cyankaliumpiller, som jag en gång i världen la-
gade i ordning utan en tanke på någon annan än mig själv,
å naturligtvis nu göra tjänst.

En sak faller av sig själv: det går inte an att låta honom
a in dem hemma hos sig. Hos mig måste det ske. Det blir
nte behagligt, men jag ser ingen annan utväg, och jag vill
ha ett slut på det här. Om han tar ett piller hemma hos
ig på min ordination och kreverar strax efteråt, är det att
befara att polisen möjligen kan konstruera upp ett sam-
band mellan dessa båda fakta. Till på köpet skulle den,
om jag ville rädda, lätt kunna bli misstänkt och indragen
och nedstänkt med smuts för lifstiden, kanske dömd för
mord ...

Naturligtvis bör ingenting ske som kan vara ägnat att
oroa polisen. Ingen får veta att prästen har fått något pil-
er: han måste dö en fullt naturlig död, av hjärtslag. Inte
heller h o n får ana något annat. Att han dör hos mig är
naturligtvis litet fatalt för mitt anseende som läkare och
kommer att ge mina vänner stoff till dåliga kvickheter,
men det får vara detsamma.

Han kommer upp till mig en dag och pratar om sitt hjärta eller någon annan smörja och vill ha konstaterat att han är bättre efter badkuren. Ingen kan höra vad vi tala om; den stora, tomma salen ligger mellan väntrummet och mitt mottagningsrum. Jag lyssnar och knackar, förklarar att han är märkvärdigt bättre, men att det i alla fall är en sak som oroar mig en smula... Jag tar fram mina piller, förklarar att det är ett nytt medel mot vissa hjärtsjukdomar (ett namn får jag väl också hitta på) och råder honom att ta ett med detsamma. Jag bjuder honom på ett glas portvin att skölja ner det med. Dricker han vin? Ja visst, jag har hört honom stödja sig på bröllopet i Kana... Han skall få ett litet gott vin. Grönstedts grådask. Jag ser honom för mig: han läppjar först litet på vinet, så lägger han pillret på tungan, tömmer glaset och sköljer ner det. Glasögonen spegla fönstret och fikusen och dölja hans blick... Jag vänder mig bort, går till fönstret och ser ut på kyrkogården, står och trummar på rutan... Han säger något, att det var ett gott vin till exempel, men stannar i halva meningen... Jag hör en duns... Han ligger på golvet...

Men om han inte vill ta pillret? Å, han tar det som en läckerhet, han svärmar för medicin... Men o m? Ja, då kan jag inte hjälpa det, då får det vara; jag kan inte slå ihjäl honom med en yxa.

... Han ligger på golvet. Jag plockar undan pillerasken och vinbuteljen och glaset. Jag ringer på Kristin: pastorn är sjuk, ett svimningsanfall, det går snart över... Jag känner på pulsen, på hjärtat:

— Det är en slagattack, säger jag till sist. Han är död.

Jag telefonerar till en kollega. Ja — till vem? Låt mig tänka. D e n duger inte; han skrev en avhandling för sju år sedan som jag recenserade litet skeptiskt i en facktidskrift... D e n: för klok. Den och den och den: bortresta. D e n — ja, honom får vi ta. Eller också den, eller i nödfall den.

Jag visar mig i dörren till väntrummet, troligtvis ganska lagom blek, och förklarar dämpat och behärskat att det har inträffat en händelse som tvingar mig att avbryta mottagningen för i dag.

Kollegan kommer; jag förklarar vad som hänt: pastorn har länge haft svårt hjärtlidande. Han beklagar mig vänligt för den gemena oturen att dödsfallet skulle inträffa just uppe hos mig och skriver på min begäran ut dödsattesten... Nej, jag ger inte prästen något vin; han kan spilla på sig, eller det kan kännas på lukten att han druckit vin, och det kan bli trassligt att förklara... Han får nöja sig med ett glas vatten. Jag är för resten av den åsikten att vin är skadligt.

Men om det kommer till obduktion? Ja, då får jag ju ta ett piller själv. Det är en illusion att tro, att man kan inlåta sig på ett företag av det här slaget utan någon risk, det har jag vetat hela tiden. Jag får vara beredd på det yttersta.

Egentligen fordrar ju situationen att jag själv begär obduktion. Någon annan lär knappast göra det — ja, det vet man för resten inte... Jag säger åt min kollega, att jag tänker begära obduktion; han svarar förmodligen att det sakligt sett naturligtvis är onödigt, eftersom dödsorsaken är klar, men att det ju kan vara riktigt för formens skull..

Sedan låter jag frågan falla. Hur som helst, här är i alla fall en lucka i planen. Jag får tänka över det där litet närmare.

Man kan för resten inte ordna alla detaljer på förhand; något ändrar ändå slumpen; något litet måste man räkna med sin improvisationskonst.

En annan sak — pest och satan, en sådan idiot jag är! Jag har ju inte bara mig själv att tänka på. Antag, att det kommer till obduktion och att jag tar ett piller och försvinner genom min fallucka och gör sällskap med Gregorius på färden över Styx, vad skall man då finna på för en förklaring på den sällsamma förbrytelsen? Människorna äro så nyfikna. Och när de döda ha tagit sina hemligheter med sig, kommer man inte då att söka förklaringen hos någon av de levande — hos h e n n e? Släpa henne inför rätta, förhöra henne, trakassera henne... Att hon har en älskare vädra de snart upp; att hon måste ha önskat prästens död och längtat efter den faller nästan av sig själv. Det gitter hon kanske inte ens förneka. Det blir svart för mina ögon... Och det skulle bli jag som gjorde dig detta, du allra ljuvaste lilla kvinnoblomma!

Jag grubblar mig blind och grå på detta.

Men kanske — kanske ändå att jag har en idé. Om jag ser, att det måste bli obduktion, får jag i god tid låta några tydliga symtom på galenskap framträda innan jag tar mitt piller. Och ännu bättre — ja, det ena goda förskjuter inte det andra —: jag skriver ett dokument och lägger det öppet på skrivbordet här i rummet, där jag skall dö, ett papper fullskrivet med gallimatias tydande på förföljelse vansinne, religionsgrubbel och så vidare: prästen har för-

följt mig i åratal; han har förgiftat min själ, därför har jag
förgiftat hans kropp; jag har handlat till nödvärn, etc. Någ-
ra bibelspråk kan man också fläta in, det finns alltid några
som kunna passa. På så sätt kommer det ljus i saken: mör-
daren var galen, det är förklaring nog, man behöver inte
söka efter någon annan, jag får en kristlig begravning och
Kristin får bekräftelse på vad hon alltid i stillhet har miss-
tänkt — ja, inte just alltid i stillhet. Hon har sagt mig
hundra gånger att jag är tokig. Hon kan avge ett förmån-
ligt vittnesmål, om det behövs.

14 augusti.

Jag önskar att jag hade en vän att anförtro mig åt. En
vän, som jag kunde rådgöra med. Men jag har ingen, och
om jag hade någon — så finns det i alla fall gränser för de
anspråk man kan ställa på sina vänner.

Jag har ju alltid varit litet ensam. Jag har burit min en-
samhet med mig i människovimlet som snigeln sitt hus.
För några är ensamheten icke en omständighet som de ha
råkat i, utan en egenskap. Och än större lär min ensamhet
bli genom detta; hur det än går, antingen det går bra eller
illa — för mig blir "straffet" i vart fall ensam cell på lifs-
tid.

17 augusti.

Narr! Lump! Kretin!
Å, vad tjäna invektiv till — man förmår ändå ingenting
mot sina nerver och sin mage.

Mottagningstiden var slut för länge sedan; den sista hade nyss gått; jag stod vid fönstret i salen och tänkte på ingenting. Plötsligt får jag se Gregorius komma gående snett över kyrkogården, rakt på min port. Det blev grått och grumligt för mina ögon. Jag väntade honom inte, jag visste inte av att han var återkommen. Jag kände svindel, yrsel, kväljningar, alla symtom på sjösjuka. Jag hade bara en tanke i huvudet: inte nu, inte nu. En annan gång, inte nu. Han är i trappan, han står utanför dörren, vad skall jag göra ... Ut till Kristin: Om någon söker mig så säg att jag har gått ut ... Jag förstod av hennes uppspärrade ögon och gap att jag måste ha sett besynnerlig ut. Jag störtade in i sängkammaren och reglade dörren. Och jag hann nätt och jämnt fram till lavoaren: där kräktes jag.

*

Min fruktan hade alltså rätt? Jag duger inte!

Ty det var just nu det borde ha skett. Den som vill handla måste kunna gripa tillfället. Ingen vet om det kommer igen. Jag duger inte!

21 augusti.

I dag har jag sett henne och talat med henne.

Jag gick ett slag ut på Skeppsholmen på eftermiddagen. Strax jag kommit över bron mötte jag Recke; han kom ned från höjden där kyrkan ligger. Han gick långsamt och tittade i marken med framskjuten underläpp och petade undan småsten med käppen, och han såg inte ut att vara riktigt nöjd med sin värld. Jag trodde inte att han skulle se mig, men just som vi passerade varann såg han upp och nickade markerat hjärtligt och muntert, med en blixtsnabb omläggning av hela ansiktsuttrycket. Jag fortsatte min väg, men hejdade mig efter ett par steg: hon är säkert inte långt härifrån, tänkte jag. Kanske står hon kvar däruppe på höjden. De ha haft något att säga varandra och stämt möte däruppe, dit sällan någon kommer, och för att inte bli sedd tillsammans med honom har hon låtit honom gå ner först. Jag satte mig på bänken, som går runt omkring stammen på den stora balsampoppeln, och väntade. Jag tror att det är det största träd som finns i Stockholm. Många vårkvällar satt jag som barn under det trädet med min mor. Far var aldrig med; han tyckte inte om att gå ut och gå med oss.

... Nej, hon kom inte. Jag trodde att jag skulle få se henne komma ner från höjden, men hon hade kanske gått ner en annan väg, eller aldrig varit där.

Jag gick dit upp i alla fall, en omväg, förbi kyrkan — då fick jag se henne sitta hopkrupen på ett av trappstegen utanför kyrkporten, framåtböjd, med hakan i handen. Hon satt och såg rakt in i solen, som höll på att gå ner. Därför såg hon mig inte strax.

Redan första gången jag såg henne slog det mig hur olik hon är alla andra. Hon liknar varken en dam av värld eller en medelklassfru eller en kvinna av folket. Kanske dock mest det sista, i synnerhet som hon nu satt där på kyrktrappan med det ljusa håret bart och fritt i solen, ty hon hade tagit av hatten och lagt den bredvid sig. Men en kvinna av ett ursprungligt folk eller av ett som aldrig funnits, ett där ingen klassbildning ännu begynt, där "folket" ännu icke blivit underklass. En dotter av en fri stam.

Plötsligt såg jag att hon satt och grät. Inte med snyftningar, bara med tårar. Grät som en, som har gråtit mycket och knappt märker att hon gråter.

Jag ville vända om och gå bort, men i detsamma märkte jag att hon hade sett mig. Jag hälsade litet stelt och ville gå förbi. Men hon reste sig strax från det låga trappsteget, lika lätt och mjukt som från en stol, och gick fram och räckte mig handen. Hon torkade hastigt bort tårarna, satte på sig hatten och drog ett grått flor över ansiktet.

Vi stodo tysta en stund.

— Det är vackert här uppe i kväll, sade jag till sist.

— Ja, sade hon, det är en vacker afton. Och det har varit en vacker sommar. Nu är den snart slut. Träden gulna redan. — Se, en svala!

En ensam svala ilade förbi oss så nära att jag kände en kylig fläkt över ögonlocken, den gjorde en snabb kurva som för ögat blev en pilskarp vinkel, och försvann i det blå.

— Det blev så tidigt varmt i år, sade hon. Då brukar det bli tidig höst.

— Hur står det till med pastorn? frågade jag.

— Jo jag tackar, svarade hon. Han kom hem från Porla för ett par dar sen.

— Och har han blivit något bättre?

Hon vände huvudet litet ifrån mig och kisade med ögonen mot solen.

— Inte från min synpunkt sett, svarade hon lågt.

Jag förstod. Det var således som jag hade tänkt. Nå, det var heller inte svårt att gissa...

En gammal gumma gick och sopade vissna löv. Hon kom oss närmare och närmare, och vi gingo sakta undan längre ut på kullen. Jag gick och tänkte på prästen. Jag skrämde honom först med hans hustrus hälsa, det hjälpte knappt två veckor; jag skrämde honom med hans egen och med den bleka döden, det hjälpte i sex. Och det hjälpte så länge bara därför att han var skild från henne. Jag börjar tro att Markel och hans cyrenaiker ha rätt: människorna bekymra sig inte om lyckan, de söka efter vällusten. De söka efter vällusten även m o t sitt intresse, mot sina åsikter och sin tro, mot sin lycka... Och den unga kvinnan som gick vid min sida med en så rak och stolt rygg men nacken med allt det ljusa silkesvirret djupt böjd under sina bekymmer — hon hade gjort alldeles detsamma: sökt vällusten och icke bekymrat sig om lyckan. Och för första gången slog det mig nu, att det var alldeles samma slags handlingssätt som fyllde mig med vämjelse för den gamle prästen och med en oändlig ömhet för den unga kvinnan, ja, med en försagd vördnad som inför gudomens närhet.

Solen glödde mattare nu genom den tjocka dunstkretsen över staden.

— Säg, fru Gregorius — får jag fråga er om en sak?

— Ja, gärna.

— Den som ni älskar — jag vet ju inte alls vem det är — vad säger han om det här, och om alltsammans; vad vill han göra? Hur vill han att det skall bli? Ty han kan ju inte gärna vara nöjd med det som det är —?

Hon teg länge. Jag började tro att jag hade frågat dumt och att hon inte ville svara.

— Han vill att vi skall resa, sade hon till sist.

Jag studsade.

— Kan han det också? frågade jag. Jag menar, är han en fri man, förmögen, oberoende av anställning eller yrke, en man som gör vad han vill?

— Nej. Då hade vi ju gjort det för länge sen. Han har hela sin framtid här. Men han vill bryta sig en ny bana i ett främmande land, långt bort. Kanske Amerika.

Jag måste le invärtes. Klas Recke och Amerika! Men jag blev stel då jag tänkte på henne. Jag tänkte: därborta kommer han att gå till botten genom alldeles samma egenskaper som han flyter på här. Och vad blir det så av henne...

Jag frågade:

— Och ni själv — vill ni det?

Hon skakade på huvudet. Ögonen stodo fulla av tårar.

— Jag vill helst dö, sade hon.

Solen drunknade småningom i det grå töcknet. Ett kyligt vinddrag susade genom träden.

— Jag vill inte förstöra hans liv. Inte bli en börda för honom. Varför skulle han resa? Det skulle bara vara för min skull. Han har hela sitt liv här, sin ställning, sin framtid, sina vänner, allting.

Jag kunde ingenting svara på detta, hon hade ju så alltför rätt. Och jag tänkte på Recke. Hela förslaget syntes mig så underligt från honom. Jag skulle aldrig ha väntat något sådant av honom.

— Säg, fru Gregorius — jag får ju vara er vän, ni betraktar mig så, inte sant? Ni tycker inte illa om att jag talar med er om de här sakerna?

Hon log mot mig genom tårarna och floret — ja hon log!

— Jag håller mycket av er, sade hon. Ni har gjort sådant för mig som ingen annan kunde eller ville ha gjort. Ni får tala med mig om allt vad ni vill. Jag tycker så mycket om när ni talar.

— Har han, er vän — har han velat det länge, att ni skulle resa bort tillsammans? Har han talat om det länge?

— Aldrig förrän i kväll. Vi träffades häruppe kort innan ni kom. Han har aldrig talat med mig om det förr. Jag tror knappt ens han har tänkt på det förr.

Jag började förstå... Jag frågade:

— Har det alltså stött till något särskilt just nu... eftersom han kom på den tanken? Något oroande...?

Hon böjde på huvudet:

— Kanske.

Den gamla med kvasten sopade åter sina löv alldeles inpå oss, vi gingo tillbaka mot kyrkan, långsamt, under tystnad. Vi stannade vid trappan där vi först hade mötts. Hon var trött: hon satte sig åter på trappsteget och stödde hakan mot handen med blicken ut i den grånande skymningen.

Vi tego länge. Det var stilla omkring oss, men över oss

susade vinden med en skarpare ton än nyss genom träd-
kronorna, och det var ingen värme mer i luften.

Hon skälvde till i en frysning.

— Jag vill dö, sade hon. Jag vill så förfärligt gärna dö.
Jag känner att jag har fått allt mitt, allt det jag skulle ha.
Jag kan aldrig bli så lycklig mer som jag har varit dessa
veckor. Det har sällan gått någon dag som jag inte har
gråtit; men jag har varit lycklig. Jag ångrar ingenting, men
jag vill dö. Och ändå är det så svårt. Jag tycker att själv-
mord är fult, i synnerhet för en kvinna. Jag har en sådan
avsky för allt våld på naturen. Och jag vill inte heller göra
honom någon sorg.

Jag teg och lät henne tala. Hon kisade smalt med ögo-
nen.

— Ja, självmord är fult. Men det kan vara ännu fulare
att leva. Det är förskräckligt att man så ofta bara har det
som är mer eller mindre fult att välja på. Den som kunde
få dö!

Jag är inte rädd för döden. Inte ens om jag trodde att
det finns någonting efter döden skulle jag vara rädd för
den. Jag har varken gjort något ont eller något gott som
jag hade kunnat göra annorlunda; jag har gjort vad jag
har måst göra, i smått som stort. Minns ni att jag en gång
talade med er om min ungdomskärlek och att jag ångrade,
att jag inte gav mig åt honom? Jag ångrar det inte längre.
Jag ångrar ingenting, inte ens mitt giftermål. Ingenting
hade ändå kunnat ske annorlunda än det har skett.

Men jag tror inte att det finns någonting efter döden.
Som barn tänkte jag mig alltid själen som en liten fågel.

I en illustrerad världshistoria som min far hade såg jag också att egypterna avbildade den som en fågel. Men en fågel flyger inte högre än luften räcker, och den räcker inte långt. Den hör till jorden den också. I skolan hade vi en lärare i naturkunnighet som förklarade för oss att ingenting av det som finns på jorden kan komma bort från den.

— Det är jag rädd att han hade fått om bakfoten, insköt jag.

— Det är nog möjligt. Men jag uppgav i alla fall min fågeltro, och själen blev mera obestämd för mig. För några år sedan läste jag allt vad jag kom över om religionen och sådant, både för och emot. Det hjälpte mig ju att reda upp mina begrepp i mycket, men jag fick ändå inte veta det jag ville. Det finns människor som skriver så utmärkt väl, och jag tror att de kan bevisa vad som helst. Jag tyckte alltid att den hade rätt som skrev bäst och vackrast. Viktor Rydberg dyrkade jag. Men jag kände och förstod, att om liv och död visste ändå ingen någonting.

Men — och det kom en hög och varm färg över hennes kind i mörkret — men på sista tiden har jag fått veta mer om mig själv än förut i hela mitt liv. Jag har lärt känna min kropp. Jag har lärt mig känna och förstå, att min kropp är jag. Det finns ingen glädje och ingen sorg och inte något liv alls annat än genom den. Och min kropp vet ju att den måste dö. Den känner det, liksom ett djur kan känna det. Därför vet jag nu, att det finns ingenting för mig bortom döden.

Det hade mörknat. Sorlet från staden steg starkare upp

till oss nu i mörkret, och lyktorna började tändas där nere i krokarna längs kajer och broar.

— Ja, sade jag, er kropp vet att den skall dö en gång. Men den v i l l inte dö; den vill leva. Den vill inte dö förrän den är utsliten och tyngd av år. Förtärd av lidande och förbränd av lust. Då först vill den dö. Ni tror att ni vill dö, därför att allting ser så svårt ut nu. Men ni vill det inte, jag vet att ni inte kan vilja det. Låt tiden gå. Tag dagen som den kommer. Allting kan bli annorlunda förr än ni tror. Också ni själv kan bli annorlunda. Ni är stark och sund; ni kan bli ännu starkare; ni hör till dem som kan växa och förnyas.

Det gick en frysning genom hennes gestalt. Hon reste sig:

— Det är sent, jag måste gå hem. Vi kan inte gå ner härifrån tillsammans, det vore inte bra om någon såg oss. Gå den där vägen, så går jag åt andra hållet. God natt!

Hon räckte mig sin hand. Jag sade:

— Jag skulle så gärna vilja kyssa er kind. Får jag det?

Hon tog upp floret och böjde fram sin kind. Jag kysste den.

Hon sade:

— Jag vill kyssa er panna. Den är vacker.

Vinden slet i mina glesnande hårtestar när jag blottade mitt huvud. Och hon tog det mellan sina varma och mjuka händer och kysste min panna — högtidligt, som en ceremoni.

22 augusti.

Vilken morgon! En lätt känning av höst i den glasklara luften. Och stilla.

Mötte fröken Mertens på min morgonritt och växlade några muntra ord med henne i förbifarten. Jag tycker om hennes ögon. Jag tror att det är mera djup i dem än man ser strax. Och så håret... Men sen finns det heller inte stort mera på meritlistan. Jo, en liten god karaktär har hon bestämt också.

Jag red Djurgården runt och tänkte hela tiden på henne som satt på trappan där uppe vid kyrkan och såg in i solen och grät, och som längtade efter att få dö. Och sannerligen: om ingen hjälp kommer, om ingenting inträffar — om inte det inträffar som jag tänker på — då är varje försök att trösta henne med ord bara löjligt prat, det kände jag själv medan jag talade till henne. Då har hon rätt, hundra gånger rätt i att söka döden. Hon kan varken resa eller stanna. Resa — med Klas Recke? Bli honom en börda och en black om foten? Jag välsignar henne för att hon inte vill det. De skulle gå under bägge. Han har det bra förspänt här, sägs det, med ena foten i sitt departement och den andra i finansvärlden; jag har hört folk kalla honom en framtidsman, och om han har skulder så är det nog inte värre för honom än för många andra "framtidsmän" innan deras position är gjord. Han har precis det lagom av begåvning som brukar hjälpa fram sin man — inom den rätta miljön, naturligtvis; någon elementarkraft är han inte. "Bryta sig en ny bana"... nej, det ligger inte för honom.

9 *Söderberg*

Och hon kan inte heller bli kvar i sitt gamla liv. En fånge
i fiendeland. Föda sitt barn under den främmande mannens
tak och vara nödd att hyckla och ljuga för honom och se
hans äckliga fadersglädje — kanske uppspädd med miss-
tankar som han inte törs tillstå men som han kommer att
begagna för att ytterligare förgifta hennes liv... Nej, hon
k a n det helt enkelt inte, det slutar med någon katastrof
om hon försöker det... Hon måste bli fri. Hon skall vara
sin egen och råda över sig själv och sitt barn. Då ordnar
sig allting för henne, då blir livet möjligt och gott för hen-
ne att leva. Jag har gjort en ed vid min själ: hon skall bli
fri.

Jag var i en ohygglig spänning nyss, under min mottag-
ning. Jag trodde att han skulle komma i dag, jag tyckte,
att jag kände det i huden... Han kom inte, men lika gott;
när helst han kommer skall han inte finna mig oberedd.
Det som hände i torsdags skall inte upprepas.

Nu går jag ut och äter middag. Jag skulle önska att jag
träffade Markel, så kunde jag bjuda honom på middag på
Hasselbacken. Jag vill prata och dricka vin och se folk.

Kristin har redan middagen färdig och blir ursinnig,
men det får vara detsamma.

(Senare.)

Det är färdigt; det är gjort. Jag har gjort det.

Så underligt det kom. Så sällsamt slumpen ordnade det
för mig. Jag kunde nästan bli frestad att tro på en försyn.

Jag känner mig tom och lätt som ett urblåst ägg. Nyss,

då jag kom inom salsdörren och såg mig själv i spegeln, studsade jag inför uttrycket i mitt ansikte: något visst tomt och utslätat, något jag vet inte vad, som kom mig att tänka på uret utan visare, som jag bär i min ficka. Och jag måste fråga mig själv: det där som du har gjort i dag — var det alltså hela ditt innehåll, finns det ingenting kvar nu därinne?

Dumheter. Det är en känsla som går över. Jag är lite trött i huvudet. Det kan jag ha lov till.

Klockan är halv åtta; solen har nyss gått ned. Hon var en kvart över fyra då jag gick ut. Tre timmar alltså... Tre timmar och några minuter.

... Jag gick alltså ut för att äta middag; jag sneddade över kyrkogården; jag gick genom gränden; jag stannade ett ögonblick framför urmakarens fönster, fick en smilande puckelryggig hälsning av mannen därinnanför och besvarade den. Jag minns att jag gjorde denna reflexion: var gång jag ser en puckelrygg, känner jag mig av sympati en smula puckelryggig själv. Förmodligen en reflexverkan av den från barndomen inlärda medkänslan med olyckan... Jag kom upp på Drottninggatan; jag gick in i Havannamagasinet och köpte ett par ordentliga Upmann. Jag vek om hörnet vid Fredsgatan. När jag kom på Gustav Adolfs torg kastade jag en blick in genom Rydbergs fönster i tanke att Markel möjligen kunde sitta där vid sin absint, som han brukar ibland, men där satt bara Birck med ett glas citron. Det är en tungus, honom kände jag ingen lust att äta middag med på tu man hand... Utanför tidningskontoret köpte jag ett Aftonblad och stoppade det i

fickan. Där finns kanske något nytt om Dreyfusaffären,
tänkte jag... Men jag gick hela tiden och undrade hur
jag skulle få fatt i Markel. Att telefonera till hans tidning
lönade sig inte, han är aldrig där vid den tiden; och medan
jag tänkte detta gick jag in i en cigarrbod och tele-
fonerade. Han hade nyss gått... På Jakobs torg såg jag
på långt håll pastor Gregorius komma emot mig. Jag gjor-
de mig redan i ordning att hälsa då jag med ens upptäckte
att det inte var han. Det var inte ens någon nämnvärd lik-
het.

— Så, tänkte jag, då möter jag honom snart.

Ty enligt en allmänt spridd folktro, som jag dunkelt på-
minde mig att min erfarenhet vid något tillfälle hade be-
kräftat, skall ett misstag på person av denna art vara ett
slags varsel. Jag erinrade mig till och med, att jag i en
pseudovetenskaplig tidskrift "för psykiska undersökningar"
hade läst en historia om en man, som efter ett sådant "var-
sel" tvärt vek in på en sidogata för att undgå ett möte som
var honom obehagligt — och kom rakt i armarna på den
som han ville undvika... Men jag trodde inte på dessa
dumheter, och mina tankar fortsatte hela tiden i tysthet
sin razzia efter Markel. Det kom för mig att jag ett par
gånger vid samma tid på dagen hade träffat honom i vat-
tenbutiken i torget; jag gick dit. Han var naturligtvis inte
där, men jag satte mig i alla fall i en av sofforna under de
stora träden invid kyrkogårdsmuren för att dricka ett glas
vichyvatten medan jag ögnade igenom mitt Aftonblad.
Jag hade knappt vecklat upp det och fäst ögonen på den
stående fetstilsrubriken: Dreyfusaffären — förrän jag hör-

de tunga knastrande steg i sanden, och pastor Gregorius
stod framför mig.

— Se doktorn, god dag, god dag. Får jag lov att slå mig
ner? Jag tänkte dricka ett litet glas vichyvatten före mid-
dagen. Det kan väl inte vara farligt för hjärtat?

— Ja, kolsyran är ju inte bra, svarade jag, men ett litet
glas någon gång kan inte göra stor skada. Hur står det till
efter badsejouren?

— Mycket bra. Jag tror att den har bekommit mig rik-
tigt bra. Jag sökte doktorn för några dar sen, i torsdags
tror jag det var, men jag kom för sent. Doktorn var ut-
gången.

Jag svarade, att jag oftast brukar kunna träffas även en
eller annan halvtimme efter mottagningstidens slut, men
att jag den dagen tyvärr hade blivit tvungen att gå ut litet
tidigare än vanligt. Jag bad honom komma i morgon. Han
visste inte om han hade tid, men han skulle försöka.

— Det är vackert i Porla, sade han.

(Det är mycket fult i Porla. Men Gregorius är som
stadsbo van att alltid finna ”landet” vackert, hur det än
ser ut. Dessutom hade han betalat och ville till det yt-
tersta ha valuta för sina pengar. Därför fann han det
vackert.

— Ja, svarade jag, det är ganska vackert i Porla. Fast
mindre vackert än på de flesta andra ställen.

— Ronneby är kanske vackrare, medgav han. Men det
är ju så lång och dyr resa.

En halvvuxen flicka serverade vattnet, två små kvarts-
buteljer.

Plötsligt fick jag en ingivelse. Eftersom det ändå måste ske: — varför inte här? Varför inte nu? Jag såg mig omkring. Det fanns ingen i närheten just nu. Vid ett bord långt borta sutto tre gamla herrar, av vilka jag kände en, en pensionerad gammal ryttmästare; men de pratade högt med varandra och talade om historier och skrattade och kunde icke höra vad vi sade eller se vad vi gjorde. En liten smutsig och barfota flickunge tassade fram till oss och bjöd ut blommor, vi skakade på huvudena, och hon försvann lika tyst. Framför oss låg torgets sandplan nästan tom i den sena middagstimmen. Från hörnet vid kyrkan sneddade då och då en fotgängare ned mot östra allén. En varm sensommarsol förgyllde Dramatiska teaterns gamla gula fasad mellan lindarna. På trottoaren stod teaterns direktör och pratade med regissören. Avståndet gjorde dem till miniatyrer, vilkas linjespel blott ett öga som kände dem förut kunde uppfatta och tolka. Regissören röjdes av sin röda fez, som blev till en liten gnista i solen, direktören av dessa delikata handrörelser som tycktes säga: ja, herregud, var sak har två sidor! Jag kände mig övertygad om att det var något i den vägen han sade, jag såg den lätta axelryckningen, jag tyckte mig höra tonfallet. Och jag tilllämpade orden på mig och mitt. Ja, var sak har två sidor. Men man må aldrig så väl ha ögonen öppna för dem bägge, man måste dock till sist välja den ena. Och jag hade för länge sedan gjort mitt val.

Jag tog upp urboetten med pillerna ur västfickan, tog ett piller mellan tummen och pekfingret, vände mig litet åt sidan och låtsades taga in det. Så tog jag en klunk ur mitt vattenglas liksom för att skölja ner det. Pastorn blev strax intresserad:

— Jag tror att doktorn medicinerar? sade han.

— Ja, svarade jag. Vi ha dåliga hjärtan lite var. Mitt är inte heller som det skall vara. Det kommer sig av att jag röker för mycket. Kunde jag bara lägga bort att röka, skulle jag aldrig behöva den här smörjan. Det här är ett tämligen nytt medel; jag har sett det mycket rekommenderat i tyska facktidskrifter, men jag ville gärna pröva det på mig själv innan jag använde det i min praktik. Nu har jag hållit på med det i över en månad, och jag har funnit det utmärkt. Man tar ett piller en stund före middagen; det hindrar "matfebern", den där oron och hjärtklappningen strax efter måltiden. Får jag lov?

Jag räckte honom dosan med locket uppslaget och vänt så, att han icke kunde se att det var en urtavla; det skulle ha kunnat ge honom stoff till onödiga frågor och prat.

— Jag tackar, sade han.

— Jag kan skriva ett recept på dem i morgon, tillade jag.

Han tog ett piller utan vidare frågor och sväljde ner det med en klunk vatten. Jag tyckte att mitt hjärta stod stilla. Jag stirrad rätt framför mig. Torget låg tomt och ökentorrt. En ståtlig poliskonstapel gick långsamt förbi, stannade, knäppte med fingrarna bort ett dammkorn från sin välborstade syrtut och fortsatte sin rond. Solen sken alltjämt lika varmt och gult på Dramatiska teaterns vägg. Direktören gjorde nu en gest som han sällan använder, den judiska gesten med utvända händer, affärsmannens gest som betyder: jag vänder insidan ut, jag döljer ingenting, jag lägger korten på bordet. Och den röda fezen nickade två gånger.

— Den här vattenbutiken är gammal, sade pastorn. Det är visst den äldsta i sitt slag i Stockholm.

— Ja, svarade jag utan att vända på huvudet, den är gammal.

Klockan slog tre kvart på fem i Jakobs kyrka.

Jag tog mekaniskt upp min klocka för att se efter om den gick rätt, men min hand fumlade och darrade så att jag tappade klockan i marken och glaset gick sönder. Då jag böjde mig ned för att ta upp den, såg jag att det låg ett piller på marken; det var det som jag nyss hade låtsats ta in. Jag trampade sönder det med min fot. I detsamma hörde jag pastorns vattenglas falla omkull på brickan. Jag ville inte se ditåt, men såg ändå hans arm falla slappt ned och hans huvud nicka till mot bröstet och de bristande ögonen vidöppna...

Det är löjligt, det var nu tredje gången sedan jag kom hem som jag steg upp och kände efter om min dörr är väl stängd. Vad har jag att frukta? Ingenting. Inte det ringaste. Jag har gjort min sak nätt och delikat, vad man än må säga om den för resten. Slumpen hjälpte mig också. Det var tur att jag såg pillret på marken och trampade sönder det. Om jag inte hade tappat min klocka, skulle jag förmodligen inte ha sett det. Det var alltså tur att jag tappade min klocka...

Prästen är död av hjärtslag, jag skrev själv ut attesten.

Han hade gått sig varm och andfådd i den starka sommar-
hettan; så drack han ett stort glas vichyvatten alldeles för
häftigt och utan att låta det slå av sig. Jag förklarade detta
för den ståtliga poliskonstapeln, som hade vänt och kom-
mit tillbaka, för den lilla uppskrämda serveringsflickan och
för några nyfikna, som samlat sig. Jag hade rått pastorn
att låta vattnet stå och slå av sig en liten stund, innan han
drack det, men han var törstig och ville inte höra på mig.
"Ja", sade konstapeln, "jag såg just hur häftigt och törstigt
den gamle herrn drack sitt vatten, då jag gick förbi nyss,
och jag tänkte: det där är inte bra för honom"... Bland
de förbigående, som stannade, var en ung prästman som
kände den döde. Han åtog sig att underrätta fru Grego-
rius, så skonsamt som möjligt.

Jag har ingenting att frukta.. Varför känner jag då oupp-
hörligt på min dörr? Därför att jag har en känsla av att
det oerhörda atmosfäriska trycket av andras meningar, de
levandes, de dödas och de ännu oföddas, ligger samlat där-
ute och hotar att spränga dörren och krossa mig, pulvri-
sera mig... Därför känner jag på låset.

... När jag äntligen kunde komma därifrån, satte jag
mig upp på en spårvagn, den första jag fick fatt i. Den
förde mig långt ut på Kungsholmen. Jag fortsatte lands-
vägen ända ner till Tranebergsbro. Vi bodde där en gång,
en sommar, då jag var fyra eller fem år. Där metade jag
min första lilla abborrpinne på en krökt knappnål. Jag
mindes precis fläcken där jag hade stått. Jag stod där länge
också nu och söp in den välkända lukten av stillastående

vatten och soltorkad tjära. Nu liksom då kilade små kvicka abborrar av och an i vattnet. Jag mindes hur girigt jag hade sett på dem den gången och hur hett jag hade önskat att jag kunde fånga dem. Och när det äntligen lyckades och en liten, liten abborre, knappt tre tum lång, sprattlade på kroken, gallskrek jag av förtjusning och sprang rakt hem till mamma med den lilla fisken sprittande och skälvande i min knutna hand... Jag ville att vi skulle äta den till middagen, men mamma gav den åt katten. Och det var också roligt. Att se honom leka med den och sedan höra hur benen knastrade mellan hans rovtänder...

På hemvägen gick jag in på Piperska muren för att äta middag. Jag trodde inte att jag skulle träffa någon bekant där, men där sutto två läkare och vinkade åt mig att slå mig ner hos dem. Jag drack bara ett glas pilsner och gick.

Var skall jag göra av dessa lappar? Hittills har jag brukat lägga dem i lönnlådan i chiffonjén: men det är inte bra. Ett bara någorlunda erfaret öga ser strax på en gammal möbel sådan som denna att det måste finnas en lönnlåda i den och tar lätt reda på den. Om trots allt någonting skulle inträffa, något som icke kunnat förutses, och man föll på den idén att göra en husundersökning här, så skulle man strax hitta dem där. Men var skall jag då göra av dem? Jag vet: jag har en mängd kartonger på bokhyllan, attrapper i form av böcker, fyllda med vetenskapliga anteckningar och andra gamla papper, omsorgsfullt ordnade och med etiketter på ryggarna. Jag kan sticka in dem bland anteckningarna i gynekologi. Och jag kan blanda dem med mina äldre dagbokslappar, jag har ju fört dagbok

förr också, aldrig regelbundet någon längre tid, men pe-
riodiskt ... För resten kan det göra detsamma tills vidare.
Jag får alltid tid att bränna dem om det skulle behövas.

*

Det är färdigt, jag är fri. Nu vill jag skaka av mig detta,
nu vill jag tänka på annat.

Ja — på vad då?

Jag är trött och tom. Jag känner mig alldeles tom. Som
en blåsa jag stuckit hål på.

Jag är hungrig, det är hela saken. Kristin får värma upp
middagen och ta in den.

23 augusti.

Det har regnat och blåst hela natten. Den första höst-
stormen. Jag låg vaken och hörde två grenar gnissla mot
varandra i den stora kastanjen utanför mitt fönster. Jag
minns att jag steg upp och satt vid fönstret en stund och
såg skytrasorna jaga varandra. Reflexen från gaslyktorna
gav dem ett smutsigt tegelrött och brandfärgat sken. Jag
tyckte att kyrkspiran krökte sig för stormen. Skyarna for-
made sig till gestalter, de blevo till en vild jakt av smut-
siga röda djävlar, som tutade i lurar och visslade och skre-
ko och fläkte trasorna av varandras kroppar och gjorde
alla sorters hor. Och medan jag satt där brast jag plötsligt
i skratt: jag skrattade åt stormen. Jag tyckte att den gjorde

för mycket väsen av affären. Det gick mig som juden, då
åskan slog ner just medan han åt en fläskkotlett: han trod-
de att det var för fläskbitens skull. Jag tänkte på mig och
mitt, och jag trodde att stormen tänkte på detsamma. Till
sist somnade jag på min stol. En köldrysning väckte mig,
jag gick till sängs men somnade inte mer. Och så blev det
då till sist en ny dag.

Nu är det morgongrått och stilla, men regnar och reg-
nar. Och jag har en förskräcklig snuva och har redan blött
ner tre näsdukar.

Då jag vek upp tidningen vid mitt morgonkaffe, såg jag
att pastor Gregorius är död. Helt plötsligt, av slag... i
vattenbutiken i Kungsträdgården... En av våra mera kän-
da läkare, som händelsevis befann sig i hans sällskap, kun-
de blott konstatera att döden inträtt... Den avlidne var
en av huvudstadens helst hörda och mest omtyckta predi-
kanter... En sympatisk och vidhjärtad personlighet...
Femtioåtta år gammal... Sörjd närmast av maka, född
Waller, samt åldrig moder.

Ack ja, herregud, vi måste alla den vägen gå. Och han
hade länge haft dåligt hjärta.

Men han hade alltså en gammal mor. Det visste jag inte.
Hon måste vara förskräckligt gammal.

... Det är något visst dystert och otrevligt med det här
rummet, i synnerhet sådana här regnvädersdagar. Allting
här är gammalt och mörkt och litet malätet. Men jag trivs
inte med nya möbler. I alla fall tror jag att jag får lov att

skaffa mig nya gardiner för fönstret, de äro för mörka och tunga och hålla ljuset ute. Den ena är också litet bränd i kanten sedan den där natten i somras, då ljuset fladdrade till och den tog eld.

"Den där natten i somras"... Låt mig tänka, hur länge sen kan det vara? — Två veckor. Och jag tycker att det är en hel evighet sedan dess.

Vem kunde ana att han hade sin mor i livet...

Hur gammal skulle min mor vara om hon levde nu? Å, inte så värst gammal. Knappt sextio år.

Hon skulle ha vitt hår. Hon skulle kanske gå litet tungt i backar och trappor. De blå ögonen, som voro ljusare än alla andras, skulle vara ännu ljusare nu av ålder och de skulle le gott under det vita håret. Hon skulle glädja sig åt att det har gått så bra för mig, men ännu mera skulle hon sörja över bror Ernst som är i Australien och aldrig skriver. Hon hade aldrig annat än sorg och bekymmer av Ernst. Därför tyckte hon mest om honom. — Men vem vet, han hade kanske blivit annorlunda om hon fått leva.

Hon dog för tidigt, min mor.

Men det är gott att hon är död.

(Senare.)

Nyss, då jag kom hem i skymningen, stannade jag som förstenad på tröskeln till salen. På bordet framför spegeln stod ett knippe mörka blommor i ett glas. Det var skymning. De fyllde rummet med sin tunga doft.

Det var rosor. Mörka, röda rosor. Ett par nästan svarta. Jag stod alldeles stilla mitt i det tysta skymningsstora rummet och vågade knappt röra mig och knappt andas. Jag tyckte mig gå i en dröm. Blommorna på spegeln — det var ju de mörka blommorna från min dröm.

Ett ögonblick blev jag rädd. Jag tänkte: detta är en hallucination; jag börjar gå sönder, det lider mot slutet med mig. Jag vågade icke gå fram och taga blommorna i min hand av fruktan att gripa i tomma luften. Jag gick in i mitt arbetsrum. På skrivbordet låg ett brev. Jag bröt det med darrande fingrar i tanke att det kunde ha något samband med blommorna; men det var en middagsbjudning. Jag läste det och skrev ett ord till svar på ett visitkort: "kommer". Så gick jag åter ut i salen: blommorna voro kvar. Jag ringde på Kristin; jag ville fråga henne vem som hade kommit med blommorna. Men ingen kom på min ringning; Kristin var utgången. Det fanns ingen i våningen mer än jag.

Mitt liv börjar blanda sig med mina drömmar. Jag kan inte längre hålla dröm och liv isär. Jag känner till det där, jag har läst om det i stora böcker: det är början till slutet. Men en gång måste ju slutet komma, och jag fruktar ingenting. Mitt liv blir mer och mer dröm. Och det har kanske aldrig varit annat. Jag har kanske drömt hela tiden, drömt att jag är läkare och att jag heter Glas och att det fanns en präst som hette Gregorius. Och jag kan när som helst vakna som gatsopare eller biskop eller skolpojke eller hund — vad vet jag ...

Å, dumheter. När drömmar och varsel börjar slå in, och

det icke är fråga om pigor och gamla fruntimmer utan om högre organiserade individer, då säger psykiatrien att det är ett tecken till begynnande andlig desorganisation. Men hur förklaras det? Det förklaras så, att man i de allra flesta fall aldrig har drömt det som "slår in"; man t y c k e r att man har drömt det eller också att man har upplevat alldeles detsamma en gång förr in i de minsta detaljer. Men min dröm med de mörka blommorna har jag uppskriven! Och blommorna själva, de äro ingen hallucination, de står där och dofta och äro levande, och någon har kommit hit med dem.

Men vem? Det finns ju bara en att gissa på. Skulle hon alltså ha f ö r s t å t t? Förstått och gillat och sänt dessa blommor som ett tecken därpå och ett tack? Det är ju vansinne, det är omöjligt. Något sådant händer inte, kan inte få hända. Det vore alltför förskräckligt. Det vore inte tillständigt. Det finns gränser för vad en kvinna får förstå! Är det så, då förstår jag ingenting längre, då vill jag inte leka med längre.

Det är ändå vackra blommor. Skall jag ställa dem på mitt skrivbord? Nej. De få stå där de stå. Jag vill inte röra vid dem. Jag är rädd för dem. Jag är rädd!

24 augusti.

Min snuva blev en hel liten influensa. Jag har stängt min dörr för mina patienter för att inte smitta ner dem, och håller mig inne. Jag har sänt återbud till middagen hos

Rubins. Jag kan ingenting göra, inte ens läsa. Jag har nyss lagt patiens med en gammal kortlek som jag har kvar efter min far. Jag tror att det ligger väl ett dussin gamla kortlekar i lådan till det förtjusande mahognyspelbordet, en möbel som ensamt den skulle kunna föra mig i fördärvet om jag hade den ringaste lust för spel. Skivan är klädd med grönt kläde när man slår upp den, den har avlånga gropar i kanten för markerna, och de delikataste inläggningar.

Ja, stort mera lämnade han mig heller inte i arv, min goda far.

Regn och regn... Och det regnar inte vatten, utan smuts. Atmosfären är inte grå längre, den är brun. Och när regnet ibland saktar av på en stund, ljusnar den till smutsigt gult.

Över patienskorten på mitt bord ligga bladen av en sönderplockad ros. Jag vet inte varför jag satt och plockade bladen av den. Kanske för att jag kom att tänka på hur vi barn förr i världen brukade stöta rosenblad i en mortel och rulla dem till hårda kulor, som vi trädde upp på snören och gav mamma till halsband på hennes födelsedag. De luktade så gott, de där kulorna. Men efter några dar skrumpnade de ihop som russin och kastades bort.

Rosorna — ja, det var nu också en historia. Det första jag såg då jag kom ut i salen i morse var ett visitkort som låg på spegelbordet bredvid blomglaset: Eva Mertens. Jag förstår ännu i denna stund inte hur jag kunde undgå att se det i går. Och hur ända längst bort i andra ändan av helvete har den goda söta flickan kunnat falla på den idén att skicka blommor till mig ovärdige syndare? Den djupare orsaken kan jag visserligen med ansträngande av mitt skarpsinne och med övervinnande av min blygsamhet gissa mig till; men anledningen? Förevändningen? Hur jag grubblar kan jag inte tänka ut någon annan förklaring än denna: Hon har läst eller hört talas om hur jag råkade vara närvarande vid det sorgliga dödsfallet; hon antar att jag är djupt uppskakad och har därför velat sända mig detta bevis på sin sympati. Hon har handlat plötsligt och impulsivt och så som det föll sig naturligt för henne. Det är ett gott hjärta på den flickan...

Om jag skulle låta henne älska mig? Jag är så ensam. Förra vintern hade jag en gråstrimmig katt, men han sprang bort på vårsidan. Jag kommer ihåg honom nu, när skenet av den första höstbrasan dansar på den rödflammiga mattan: just där framför kakelugnen brukade han ligga och spinna. Jag ansträngde mig förgäves att vinna hans tillgivenhet. Han lapade min mjölk och värmde sig vid min eld, men hans hjärta förblev kallt. Vad blev det av dig, Murre? Du hade dåliga anlag. Jag fruktar att du har kommit på dekadans, om du ännu vandrar här på jorden. I natt hörde jag en katt skrika på kyrkogården, och jag tyckte alldeles att jag kände igen din röst.

*

Vem var det som sade: "Livet är kort, men timmarna äro långa." Det borde ha varit en matematiker som Pascal, men det var visst Fénélon. Synd, att det inte var jag.

*

Varför törstade jag efter en handling? Kanske mest för att råda bot på ledsnaden. "L'ennui commun à toute créature bien née", som drottning Margot av Navarra uttryckte det. Men det är länge sedan den var ett privilegium för "varelser av börd". Att döma av mig själv och några som jag känner, ser det ut som om den med stigande upplysning och välstånd vore på väg att sprida sig också bland populasen.

Handlingen kom till mig som ett stort underligt moln, sköt en blixt och drog förbi. Och ledsnaden blev kvar.

Men det är också ett rent fördömt influensaväder. Dagar som dessa tycker jag att det stiger upp gammal liklukt från kyrkogården och tränger in genom väggar och fönster. Regnet droppar på fönsterblecket. Jag känner det som om det droppade på min hjärna för att urholka den. — Det är något fel med min hjärna. Jag vet inte om den är för dålig eller för bra, men den är inte som den borde vara. Till gengäld vet jag åtminstone med mig själv att jag har hjärtat på rätta stället. Dropp — dropp — dropp. Varför äro de två små träden vid Bellmans grav så eländiga och tunna? Jag tror att de äro sjuka. Kanske gasförgiftade. Han borde sova under stora susande träd, den gamle Karl Mikael. Sova, ja — få vi sova? Riktigt? Den som visste det... Det kommer för mig ett par rader ur en berömd dikt:

L'ombre d'un vieux poète erre dans la gouttière
avec la triste voix d'un fantôme frileux.

"En gammal skalds skugga irrar i takrännan med den sorgsna rösten hos ett fruset spöke." Det var tur för Baudelaire att han slapp höra hur det låter på svenska. Det är på det hela taget ett förbannat språk vi ha. Orden trampa varandra på tårna och knuffa varandra i rännstenen. Och allt blir så påtagligt och rått. Inga halvtoner, inga lätta antydningar och mjuka övergångar. Ett språk som tycks vara skapat till bruk för den outrotliga pöbelvanan att plumpa ut med sanningen i alla väder.

Det mörknar mer och mer: decembermörker i augusti. De svarta rosenbladen ha redan skrynklat sig. Men kortlapparna på mitt bord lysa i gälla skrattande färger i allt det grå som för att påminna om att de en gång blevo uppfunna för att skingra en sjuk och galen furstes svårmod. Men jag fasar vid blotta tanken på arbetet att samla ihop dem och vända de aviga rätt och blanda dem till en ny patiens, jag kan bara sitta och se på dem och lyssna till hur "hjärterknekt och spaderdam viska dystert om sin begravda kärlek", som det står i samma sonett.

> Le beau valet de coeur et la dame de pique
> causent sinistrement de leurs amours défunts.

Jag kunde ha lust att gå upp i det smutsiga gamla rucklet där snett över och dricka porter med flickorna. Röka en sur pipa och dra en spader med värdinnan och ge henne goda råd för hennes reumatism. Hon var här i förra veckan och klagade sin nöd, fet och präktig. Hon hade en tjock guldbrosch under isterhakan och betalade en femma kontant. Hon skulle bli smickrad av en kontravisit.

Det ringde på tamburdörren. Nu öppnar Kristin... Vad kan det vara? Jag har ju sagt till att jag inte tar emot i dag... En detektiv?... Som låtsas vara sjuk, uppträder som patient... Kom in du, min gubbe, jag skall nog sköta om dig...

Kristin gläntade på dörren och slängde ett brev med svarta kanter på mitt bord. Inbjudning att bevista jordfästningen...

*

— Min handling, ja... "Vil Monsieur have den Historie paa heroiske Vers, saa koster det 8 Skilling..."

25 augusti.

Jag såg i drömmen gestalter från min ungdom. Jag såg henne som jag kysste en midsommarnatt för länge sedan, då jag var ung och icke hade·dödat någon. Jag såg också andra unga flickor av dem som hörde till vår krets på den tiden; en som gick och läste det året jag blev student och som alltid ville tala med mig om religionen; en annan, som var äldre än jag och som gärna stod och viskade med mig i skymningen bakom en jasminhäck i vår trädgård. Och en annan, som alltid gjorde narr av mig, men som blev så ond och häftig och föll i krampgråt en gång då jag gjorde narr av henne... De gingo bleka i en blek skymning, deras ögon stodo vidöppna och förskrämda, och de gjorde tecken åt varandra då jag närmade mig. Jag ville tala till dem, men de vände sig bort och svarade mig icke. Jag tänkte i drömmen: det är helt naturligt, de känna inte igen mig, jag har blivit så förändrad. Men på samma gång förstod jag att jag bedrog mig själv, och att de mycket väl kände igen mig.

Då jag vaknade, brast jag i gråt.

28 augusti.

I dag var jordfästningen, i Jakobs kyrka.

Jag gick dit: Jag ville se henne. Jag ville se om jag kunde fånga en gnista från hennes stjärnögon genom floret. Men hon satt djupt böjd under sitt svarta dok och lyfte icke på ögonlocken.

Officianten utgick från Syraks ord: "Från morgon till afton kan mycket ändra sig, och Herren kan allting med hast förvandla." Han gäller för att vara ett världens barn. Och det är sant att jag ofta har sett hans blanka kranium lysa på teatrarnas parkett, och hans vita händer forma sig till diskreta applåder. Men han är en framstående andlig vältalare, och han var tydligen själv djupt gripen av de gamla orden, som i oöverskådliga släktled ha ljudit vid oförmodade dödsfall och hastigt öppnade gravar och som ge ett så skakande uttryck åt människobarnens bävan under den okända handen som skuggar över deras värld och lika gåtfullt sänder dem dag och natt och liv och död. "Stillastående och förblivande är oss icke givet", sade prästen. "Det vore oss icke nyttigt, icke möjligt, icke ens uthärdligt. Förvandlingens lag är icke blott dödens: den är

först och främst livets lag. Och likväl stå vi var gång på
nytt lika överraskade och gripna av rysning inför förvand-
lingen, när vi se den så plötsligt fullbordad och så annor-
lunda än vi hade tänkt... Det borde icke så vara, mina
bröder. Vi borde tänka: Herren visste att frukten var mo-
gen, fast det icke syntes så för oss, och lät den falla i sin
hand"... Jag kände mina ögon fuktas och dolde min rö-
relse i hatten. Jag glömde i denna stund nästan bort vad jag
visste om orsaken till att frukten så hastigt hade mognat
och fallit av... Eller rättare: jag kände att jag i grunden
icke visste mera därom än någon annan. Jag visste blott
litet om de närmaste anledningarna och omständigheterna,
men bakom dem förlorade sig den långa orsakskedjan i
dunklet. Jag kände min "handling" som länk i en kedja,
som våg i en rörelse; en kedja och en rörelse, som hade
begynt långt före min första tanke och långt före den dag,
då min far första gången såg med begärelse på min mor.
Jag kände nödvändighetens lag: kände den rent
kroppsligt som en ilning genom märg och ben. Jag kände
ingen skuld. Det finns ingen skuld. Den rysning jag kände
var densamma som jag stundom får av mycket stor och
allvarsam musik eller mycket ensamma och ljusa tankar.

Jag hade inte på åratal varit i en kyrka. Jag mindes hur
jag som fjorton, femton års pojke hade suttit i dessa sam-
ma bänkar och bitit ihop tänderna i ursinne mot den feta
utspökade skurken vid altaret och tänkt för mig själv, att
den där humbugen kanske skulle kunna räcka i tjugu,
högst trettio år ännu. En gång under en lång, tråkig pre-
dikan fattade jag det beslutet att själv bli präst. Jag tyckte

att de präster jag sett och hört voro stympare i sitt yrke
och att jag skulle kunna göra allt det där mycket bättre
än de. Jag skulle stiga högt, bli biskop, ärkebiskop. Och
när jag väl blivit ärkebiskop — då skulle man få höra på
roliga predikningar! Då skulle det bli folk i Uppsala dom-
kyrka! Men innan prästen hunnit till amen var min histo-
ria redan slut: jag hade en god vän i skolan som jag talade
med om allting; jag var kär i en flicka; och så hade jag min
mor. För att kunna bli biskop måste jag ju ljuga och göra
mig till också för dessa, och det var omöjligt. Några mås-
te man ha, som man kan vara uppriktig mot... Ja, herre-
gud, den tiden, den oskyldiga tiden... Det är underligt att
sitta och tänka sig tillbaka in i en stämning och en tanke-
krets från längesedan gångna år. På sådant känner man ti-
dens flykt. Förvandlingens lag, som prästen sade (det har
han för resten huggit ur någon Ibsenpjäs). Det är som att
se en gammal fotografi av sig själv. Och jag tänkte vidare:
hur lång tid kan jag ännu ha kvar att irra omkring på må-
få i denna gåtornas och drömmarnas och de otydbara fe-
nomenens värld? Kanske tjugu år, kanske mer... Vem är
jag om tjugu år...? Om jag vid sexton år genom något
spökeri hade fått se i en syn mitt liv som det är nu, hur
skulle det ha känts? — Vem är jag om tjugu år, om tio år?
Vad tänker jag då om mitt liv av i dag? Jag har gått i vän-
tan på erinnyerna i dessa dagar. De ha inte kommit. Jag
tror inte att det finns några. Men vem vet... De göra sig
kanske ingen brådska. De tycka kanske att de ha god tid.
Vem vet vad de kunna göra av mig med åren. — Vem är
jag om tio år?

Så fladdrade mina tankar som spräckliga fjärilar, me-
dan ceremonien led mot sitt slut. Kyrkans portar slogos
upp, man trängdes mot utgången under klockornas dån,
kistan vacklade och gungade som ett skepp i portvalvet,
och en frisk höstvind slog emot mig. Ute var det en grå-
blandad himmel och en tunn blek sol. Jag kände mig själv
litet gråblandad och tunn och blek, som man blir av att
sitta länge inklämd i en kyrka, i synnerhet när det är be-
gravning eller nattvardsgång. Jag gick till badhuset vid
Malmtorgsgatan för att få en finsk bastu.

Då jag hade klätt av mig och kom in i bastun hörde jag
en välkänd röst:

— Här är varmt och gott som i ett litet avdelningskon-
tor av helvete. Stina! Borstning om tre minuter!

Det var Markel. Han satt uppkrupen på en hylla tätt
under taket och dolde ofullständigt sina avgnagda kotor
bakom ett färskt Aftonblad.

— Titta inte på mig, sade han då han fick se mig. Präs-
ter och murvlar skall man inte se nakna, säger predikaren.

Jag virade en våt handduk om huvudet och sträckte ut
mig på en lave.

— Apropå präster, fortfor han, så ser jag att pastor
Gregorius begrovs i dag. Du var kanske i kyrkan?

— Ja, jag kommer just därifrån.

— Jag hade vakten på tidningen när underrättelsen om
dödsfallet kom. Mannen, som kom med notisen, hade gjort
en lång sensationshistoria och blandat in ditt namn. Det
tyckte jag var onödigt. Jag vet att du inte bryr dig så
mycket om reklam. Jag gjorde om alltsammans och strök

det mesta. Som du vet representerar vår tidning den upp-
lysta opinionen och gör inte så stor affär av att en präst
får slag. Men några vackra ord måste i alla fall sägas, och
det gjorde mig ju alltid litet besvär... "Sympatisk" gav
sig ju självt, men det räckte ju inte. Så kom jag att tänka
på att han troligtvis hade fetthjärta eller någonting i den
vägen, eftersom han dog av slag, och så hade jag karakte-
ristiken färdig: en sympatisk och vidhjärtad personlighet.

— Käre vän, sade jag, du har en vacker lifsuppgift.

— Ja, den skall du inte skratta åt! svarade han. Jag skall
säga dig en sak: det finns tre slags människor — tänkare,
murvlar och boskap. Till murvlarna räknar jag visserligen
i hemlighet de allra flesta som kallas tänkare och diktare,
och de flesta murvlar höra till boskapen, men det hör inte
hit. Tänkarnas sak är att skaffa rätt på sanningen. Men det
finns en hemlighet med sanningen, som eget nog är myc-
ket litet känd, fast jag tycker att den borde ligga i öppen
dag — det är den, att det är med sanningen som med so-
len: dess värde för oss beror uteslutande på den rätta dis-
tansen. Om tänkarna finge hållas, skulle de styra vårt klot
rakt in i solen och bränna oss till aska. Det kan knappt
förvåna att deras verksamhet tidtals gör boskapen ängs-
lig, så att den ropar: släck solen, släck för satan, släck! Vi
murvlar ha till uppgift att bevara den rätta och nyttiga
distansen till sanningen. En riktigt god murvel — det finns
inte många! — f ö r s t å r med tänkaren och k ä n n e r
med boskapen. Det är vår sak att skydda tänkarna mot
boskapens raseri och boskapen mot alltför starka sannings-
doser. Men jag medger gärna att den senare uppgiften är

den lättare och den som vi i vardagslag fyller bäst, och jag medger också att vi däri ha en värdefull hjälp av en mängd oäkta tänkare och klokare boskap...

— Kära Markel, svarade jag, du talar visa ord, och oaktat jag har en svag misstanke om att du varken räknar mig till tänkarna eller murvlarna utan till den tredje sorten, skulle det vara mig ett verkligt nöje att äta middag med dig. Den där olycksdagen då jag träffade prästen i vattenbutiken hade jag nyss förut sprungit och sökt dig överallt i just den avsikten. Kan du slå dig lös i dag? Så kör vi ut till Hasselbacken...?

— En utmärkt idé, svarade Markel. En idé som ensamt den ställer dig i tänkarnas rangklass. Det finns tänkare som ha den finessen att dölja sig bland boskapen. Det är den allra gentilaste sorten, och jag har alltid räknat dig dit. Hur dags? Så, klockan sex, det är utmärkt.

Jag gick hem för att befria mig från de svarta byxorna och den vita halsduken. Hemma väntade mig en angenäm överraskning: min nya mörkgrå redingotkostym, som jag beställde i förra veckan, var färdig och hemskickad. En blå, vitprickig väst hör också till. Det är svårt att åstadkomma en riktigare dräkt för en Hasselbacksmiddag en vacker sensommardag. Men jag var litet orolig för Markels apparition. Han är nämligen alldeles oberäknelig i det fallet, den ena dagen kan han vara kostymerad till diplomat och den andra dagen till slusk — han känner ju alla människor och är van att röra sig i offentligheten som hemma i sina rum. Min oro berodde varken på fåfänga eller människofruktan: jag är en känd man, jag har min position,

och jag kan äta middag på Hasselbacken med en drosk-
kusk om det roar mig; och vad Markel beträffar känner
jag mig alltid hedrad av hans sällskap utan att tänka på
hans kläder. Men det sårar mitt skönhetssinne att se en
vårdslös dräkt vid ett fint dukat bord på en elegant res-
taurang. Det kan ta bort mer än halva nöjet för mig. Det
finns storgubbar som tycka om att stryka under sin stor-
het genom att gå klädda som lumpsamlare: sådant är oan-
ständigt.

Jag hade stämt möte med Markel vid Tornbergs klocka.
Jag kände mig lätt och fri, föryngrad, förnyad, liksom
tillfrisknad från en sjukdom. Den friska höstluften tycktes
mig kryddad med en doft från ungdomsåren. Kanske det
kom av cigarretten som jag rökte. Jag hade fått fatt i en
sort som jag var förtjust i förr i världen men som jag inte
har rökt på många år ... Jag fann Markel vid ett pärlande
humör, med en halsduk som liknade ett fjälligt grönt orm-
skinn, och i det hela taget riggad så att konung Salomo i
all sin härlighet inte var på långt när så chic som han. Vi
satte oss upp i en droska, kusken skyldrade med piskan,
slog en klatsch för att stimulera sig själv och hästen och
körde i väg.

Jag hade bett Markel att pr telefon försäkra oss om ett
bord vid verandaräcket, han har nämligen mera auktoritet
på stället än jag. Vi fördrevo tiden med en akvavit, ett par
sardiner och några salta oliver, medan vi gjorde upp pro-
grammet: Potage à la chasseur, sjötungsfilet, vaktel, frukt.
Chablis; Mumm extra dry; Manzanilla.

— Du kom inte ut till Rubins i torsdags? frågade Markel. Värdinnan saknade dig mycket. Hon säger att du har ett så trevligt sätt att tiga på.

— Jag var förkyld. Alldeles omöjlig. Satt hemma och lade patiens hela förmiddagen, och när det blev middagstid gick jag till sängs. Vad var det för folk där?

— Ett helt menageri. Birck bland andra. Han har lyckats bli av med sin binnikemask. Rubin berättade hur det gick till: Birck fattade för en tid sedan det högtidliga beslutet att ge fan i sitt ämbetsverk och ägna sig uteslutande åt litteraturen. Och när binnikemasken fick nys om den saken, fattade det kloka djuret också sitt beslut och begav sig av till en annan marknad.

— Nå, tänker han göra allvar av beslutet? Jag menar Birck?

— Inte. Han nöjer sig med det redan vunna resultatet och stannar kvar i tullen. Och nu vill han försöka göra troligt att det bara var en krigslist...

Jag tyckte mig se Klas Reckes ansikte skymta fram vid ett bord långt borta. Det var verkligen han. Han var i partie carrée med en annan herre och två damer. Jag kände ingen av dem.

— Vilka är det Recke sitter med därborta? frågade jag Markel.

Han vände sig om men kunde inte få ögonen varken på Recke eller hans sällskap. Sorlet steg runt om oss i tävlan med orkestern, som intonerade Boulangermarschen. Markel mörknade. Han är lidelsefull dreyfusard och såg i detta musiknummer en antidreyfusistisk demonstration, tillställd av något löjtnantskotteri.

— Klas Recke? återtog han. Jag ser honom inte. Men han är väl ute och gycklar med sina blivande släktingar. Han seglar snart in i hamnen, tänker jag. En flicka med pengar har kastat sina för resten mycket vackra ögon på honom. Men apropå vackra ögon, så hade jag en ung fröken Mertens till bords vid middagen hos Rubins. En rar flicka, rent förtjusande. Jag har aldrig träffat henne där förr. Jag minns inte hur det föll sig, men jag råkade nämna dig, och så snart hon fått klart för sig att vi voro goda vänner, talade hon bara om dig hela tiden och frågade mig om allt möjligt som jag inte kunde svara på... Så med ens tvärtystnade hon och blev röd i örsnibbarna. Jag kan inte förstå annat än att hon är kär i dig.

— Du är litet hastig i dina slutsatser, insköt jag.

Men jag tänkte på vad han hade sagt om Recke. Jag visste inte vad jag skulle tro: Markel pratar så mycket som det inte är något i. Han har nu en gång den svagheten. Och jag ville inte fråga. Men han talade alltjämt om fröken Mertens, och talade så varmt att jag fann mig föranledd att skämta:

— Du är tydligen kär i henne själv, det bränner ju genom västen! Tag henne, kära Markel, jag blir ingen farlig rival. Mig slår du lätt ur brädet.

Han skakade på huvudet. Han var allvarlig och blek.

— Jag är ur leken, svarade han.

Jag sade ingenting, och det blev tyst. Kyparen serverade champagnen med en tempeltjänares allvar. Musiken började förspelet till Lohengrin. Den gångna dagens skyar hade drivit undan och lagrat sig i rosiga strimmor vid ho-

risonten, men däruppe hade rymden blånat till ett djupt
oändligt blått, blått som denna underbara blå musik. Jag
lyssnade till den och glömde mig själv. Den sista tidens
tankar och grubbel och den handling som den mynnat ut
i tycktes mig flyta långt bort i det blå som något redan
borta och redan overkligt, något avsöndrat och frånskilt
som aldrig skulle bekymra mig mer. Jag kände att jag ald-
rig skulle komma att vilja eller kunna göra något sådant
mer. Var det alltså en villfarelse? Jag hade ju dock hand-
lat efter bästa förstånd. Jag hade vägt och prövat, för och
mot. Jag hade gått till botten med saken. Var det en vill-
farelse? Det fick vara detsamma. I orkestern bröt just nu
det hemlighetsfulla ledmotivet igenom: "Du skall icke frå-
ga!" Och jag tyckte mig i denna mystiska tonserie och
dessa fyra ord läsa en plötslig uppenbarelse av en urgam-
mal och hemlig visdom. "Du skall icke fråga!" Icke gå
till botten med tingen: då går du själv till botten. Icke sö-
ka efter sanningen: du finner den icke och förlorar dig
själv. "Du skall icke fråga!" Den sanningsmängd, som är
dig tjänlig, får du till skänks; den är blandad med villfa-
relse och lögn, men det är för din hälsas skull, oblandad
skulle den bränna dina inälvor. Försök inte att rensa bort
lögnen ur din själ, det följer så mycket med som du inte
har tänkt på, du tappar bort dig själv och allt som är dig
kärt. "Du skall icke fråga!"

— När man vill ha anslag till operan av riksdagen, sade
Markel, måste man plugga i den att musiken har ett "för-
ädlande inflytande". Jag skrev själv något liknande non-
sens i en ledare häromåret. Det är för resten ett slags san-

ning, fast uttryckt i en för våra lagstiftare fattbar över-
sättning. På originalspråket skulle det heta: musiken eg-
gar och styrker; den stegrar och bekräftar. Den bekräftar
den fromme i hans menlöshet, krigaren i hans mod, den
utsvävande i hans laster. Biskop Ambrosius förbjöd kro-
matiska gångar i kyrkomusiken, emedan de efter hans per-
sonliga erfarenhet väckte okyska föreställningar. På 1730-
talet fanns det en pastor i Halle, som i Händels musik såg
en tydlig bekräftelse på augsburgiska bekännelsen. Jag har
boken. Och en god wagnerian bygger upp en hel lifsåskåd-
ning på ett motiv ur Parsifal.

Vi hade kommit till kaffet. Jag räckte Markel mitt ci-
garrfodral. Han tog en cigarr och betraktade den upp-
märksamt.

— Den här cigarren har en allvarlig uppsyn, sade han.
Den är bestämt riktig. Jag var eljest litet orolig för cigarr-
frågan. Som läkare vet du nog att de goda cigarrerna äro
de giftigaste. Därför var jag ängslig för att du skulle ge
mig någon förbannad smörja.

— Käre vän, svarade jag, ur hygienisk synpunkt är hela
den här middagen ett hån mot förnuftet. Och vad cigar-
ren beträffar, så tillhör den den esoteriska riktningen inom
tobaksindustrien. Den vänder sig till de utvalda.

Publiken hade glesnat omkring oss, det elektriska lju-
set skruvades upp, och det började skymma därute.

— Jo, sade Markel plötsligt, nu ser jag Recke. Jag ser
honom i spegeln. Och han är mycket riktigt i sällskap
med den dam som jag gissade. De andra i sällskapet kän-
ner jag inte.

— Nå, och vem är hon?

— Fröken Lewinson, dotter till fondmäklaren som dog häromåret... Hon har en halv million.

— Och du tror att han tänker gifta sig för pengar...?

— För all del, visst inte. Klas Recke är en fin man. Du kan vara lugn för att han sköter om att han först blir lidelsefullt förälskad i henne, och sedan gifter han sig av kärlek. Det där kommer han att göra så bra, att pengarna nästan bli en överraskning för honom.

— Känner du henne?

— Jag har träffat henne ett par gånger. Hon ser mycket bra ut. Näsbenet är bara litet för skarpt, och förståndet för resten också. En ung dam som med omutlig rättrådighet skiftar sol och vind mellan Spencer och Nietzsche och säger "där och där har den rätt, men där och där har den andra träffat pricken" — hon inger mig en viss oro, men inte av den rätta sorten... Vad var det du sa?

Jag hade inte sagt någonting. Jag satt i tankar, och mina läppar hade kanske rört sig med tankarna, jag hade kanske mumlat något för mig själv utan att veta det... Jag såg henne för mig, henne som jag ständigt tänker på. Jag såg henne gå av och an i skymningen på en tom gata och vänta på någon som icke kom. Och jag mumlade för mig själv: — Kära, det här är ditt eget. Det här måste du gå igenom själv. Här kan jag inte hjälpa dig, och om jag också kunde så ville jag inte. Här måste du vara stark. Och jag tänkte vidare: Det är gott att du är fri och din egen nu. Så kommer du lättare igenom det.

— Nej, Glas, det här går inte längre, sade Markel bekymrad. Hur länge tänker du att vi skall sitta här utan en droppe visky?

Jag ringde på kyparen och beställde visky och ett par filtar, ty det började bli kallt. Recke bröt upp med sitt sällskap och passerade vårt bord utan att se oss. Han såg över huvud taget ingenting. Han gick med den snörräta gången hos en man som tagit fast sikte på ett mål. En stol stod litet i vägen, han såg den inte och stötte omkull den. Det hade blivit tomt omkring oss. Det susade höstligt i träden. Skymningen grånade och tätnade. Och draperade i våra filtar som i röda mantlar sutto vi länge kvar och talade om både låga och upphöjda ting, och Markel sade saker som voro alltför sanna att kunna fästas med skrifttecken på ett papper, och som jag har glömt.

27 augusti.

Åter en dag som gått, och det är natt igen och jag sitter vid mitt fönster.

Du ensamma, du kära!

Vet du det redan? Lider du? Stirrar du med vakna ögon i natten? Vrider du dig i ångest i din bädd?

Gråter du? Eller har du inga tårar mer?

Men han kanske narrar henne i det längsta. Han är hänsynsfull. Han tar hänsyn till att hon har sorg efter sin man. Han har inte låtit henne ana något än. Hon sover gott och vet om ingenting.

Kära, du måste vara stark när det kommer. Du måste komma över det. Du skall se att livet ännu har mycket för dig.

Du skall vara stark.

4 september.

Dagarna komma och gå, och den ena är den andra lik.

Och osedligheten, den florerar fortfarande, kan jag märka. I dag var det för ombytes skull en mansperson, som ville att jag skulle hjälpa hans fästmö ur knipan. Han talade om gamla minnen och rektor Snuffe i Ladugårdslandet.

Jag var obeveklig. Jag läste upp min läkared för honom. Den imponerade på honom till den grad att han bjöd mig två hundra kronor kontant och en växel på samma belopp jämte obrottslig vänskap för livet. Det var nästan rörande; han såg ut att ha det smått.

Jag körde ut honom.

7 september.

Från mörker till mörker.

Liv, jag förstår dig inte. Jag känner ibland en andlig yrsel, som viskar och varnar och mumlar om att jag har gått vilse. Jag kände så helt nyss. Då tog jag fram mitt rättegångsprotokoll: de dagboksblad, där jag höll förhör med de båda rösterna i mitt inre: den som ville och den som icke ville. Jag läste det om och om igen, och jag kunde inte finna annat än att den rösten, som jag till sist lydde, var den som hade rätta klangen, och att det var den andra som var ihålig. Den andra rösten var kanske den klokaste, men jag skulle ha mist den sista aktningen för mig själv om jag lytt den.

Och ändå — ändå —

Jag har börjat drömma om prästen. Det var ju att förutse, och just därför förvånar det mig. Jag hade tänkt att jag skulle slippa ifrån det just därför att jag hade förutsett det.

*

Jag förstår att konung Herodes icke tyckte om sådana profeter som gingo omkring och uppväckte döda. Han högaktade dem i övrigt, men denna gren av deras verksamhet ogillade han ...

*

Liv, jag förstår dig inte. Men jag säger inte att det är ditt fel. Jag håller det för mera troligt att jag är en vanartig son än att du är en ovärdig mor.

Och det har till sist börjat gå upp för mig som en aning —: det är kanske icke meningen att man skall förstå livet. Allt detta raseri att förklara och förstå, all denna sanningsjakt är kanske en avväg. Vi välsigna solen, därför att vi leva just på det avstånd ifrån den som är oss nyttigt. Några millioner mil närmare eller längre bort, och vi skulle förbrinna eller förfrysa. Om det nu vore med sanningen som med solen?

Den gamla finska myten säger: den som ser guds ansikte måste dö.

Och Ödipus. Han löste sfinxens gåta och blev den eländigaste bland människor.

Icke gissa gåtor! Icke fråga! Icke tänka! Tanken är en syra som fräter. Du tänker i början, att den blott skall fräta på det som är murket och sjukt och som skall bort. Men tanken tänker inte så: den fräter blint. Den börjar med det rov som du helst och gladast kastar åt honom, men du skall inte tro att det mättar honom. Han slutar inte förrän han gnagt sönder det sista du har kärt.

Jag borde kanske inte ha tänkt så mycket; jag borde hellre ha fortsatt mina studier. "Vetenskaperna äro nyttiga därigenom att de hindra människan från att tänka." Det är en vetenskapsman, som har sagt det. Jag borde kanske också ha levat livet, som det heter, eller "levat lusen", som det också heter. Jag borde ha åkt på skidor och sparkat fotboll och levat friskt och muntert med kvinnor och vänner. Jag borde ha gift mig och satt barn i världen: borde ha g j o r t mig plikter. Sådant blir hållhakar och stöd. Det är kanske också dumt, att jag inte har kastat mig in i politiken och uppträtt på valmöten. Också fosterlandet har krav på oss. Nå, det kan jag kanske hinna med ännu ...

Första budet: du skall icke förstå för mycket.

Men den som förstår det budet, han — har redan förstått för mycket.

Jag yrar, det går i cirkel för mig.

Från mörker till mörker.

9 september.

Jag ser henne aldrig.

Ofta går jag ett slag ut på Skeppsholmen, bara därför att det var där jag talade med henne sist. I kväll stod jag på höjden vid kyrkan och såg solen gå ner. Det slog mig hur vackert Stockholm är. Jag har inte tänkt mycket på det förr. Det står jämt i tidningarna att Stockholm är vackert, därför fäster man sig inte vid det.

20 september.

På middagen hos fru P. i dag talades det om Reckes förestående förlovning som om en känd sak.

... Jag blir allt omöjligare i sällskap. Jag glömmer att svara när man talar till mig. Ofta hör jag det inte. Jag undrar om min hörsel börjar bli försvagad?

Och så dessa masker! De gå med mask allesammans. Till på köpet är det deras största förtjänst. Jag skulle inte vilja se dem utan. Ja, inte heller själv visa mig utan! Inte för dem!

För vem då?

Jag gick därifrån så tidigt jag kunde. Jag gick och frös på hemvägen; det har plötsligt blivit kalla nätter. Jag tror att det blir en kall vinter.

Jag gick och tänkte på henne. Jag mindes första gången hon kom till mig och bad om min hjälp. Hur hon plötsligt blottade sig och röjde sin hemlighet utan att det alls behövdes. Hur varmt hennes kind brann den gången! Jag minns att jag sade: sådant skall man hålla hemligt. Och hon: Jag v i l l e säga det. Jag ville att ni skulle veta vem jag är. — Om jag nu skulle gå till henne med min nöd liksom hon kom till mig? Gå till henne och säga: jag härdar inte ut att ensam veta vem jag är, att gå med mask, ständigt för alla! E n måste jag blotta mig för; e n måste veta vem jag är...

Å, vi skulle bara bli vansinniga bägge.

Jag drev på måfå genom gatorna. Jag kom till huset där hon bor. Det lyste i ett av hennes fönster. Det var ingen rullgardin nerfälld; hon behöver ingen, det är stora obebyggda tomter med brädgårdar och sådant på andra sidan gatan, ingen kan se in. Jag såg heller ingenting, ingen mörk gestalt, ingen arm eller hand som rördes, bara gult lampsken på muslinsgardinen. Jag tänkte: vad gör hon nu, vad sysslar hon med? Läser i en bok, eller sitter med huvudet i händerna och tänker, eller reder sitt hår för natten... Å, om jag vore där, om jag fick vara där hos henne... Ligga där och se på henne och vänta, medan hon reder sitt hår framför spegeln och långsamt löser upp sina kläder... Men inte som en början, en första gång, utan som ett led i en lång, god vana. Allt, som har en början, har också ett slut. Det skulle varken få ha början eller slut.

Jag vet inte hur länge jag stod där orörlig som en bildstod. En vattrad skyhimmel, svagt genomskimrad av månsken, rörde sig över mitt huvud långsamt som ett fjärran landskap. Jag frös. Gatan låg tom. Jag såg en nattvandrerska komma fram ur mörkret och närma sig. Kommen halvt förbi mig, stannade hon, vände sig om och såg på mig, med hungriga ögon. Jag skakade på huvudet: då gick hon och blev borta i mörkret.

Plötsligt hörde jag en nyckel rassla i låset till porten, den öppnades och en mörk gestalt gled ut... Var det verkligen hon...? Som går ut mitt i natten, och utan att ha släckt sin lampa...? Vad är detta? Jag tyckte att hjärtat stannade i mig. Jag ville se vart hon gick. Jag gick långsamt efter.

Hon gick bara till brevlådan i hörnet, kastade ner ett brev och skyndade sig fort tillbaka. Jag såg hennes ansikte under en lykta: det var blekt som lärft.

Jag vet inte om hon såg mig.

*

Aldrig blir hon min; aldrig. Jag gjorde aldrig hennes kind röd, och det var inte jag som hade gjort den så kritblek nu. Och aldrig skall hon med ångest i hjärtat ila över gatan om natten med ett brev till mig.

Mig gick livet förbi.

Hösten härjar mina träd. Kastanjen utanför fönstret är redan naken och svart. Molnen fara i tunga skockar över taken, och jag ser aldrig solen.

Jag har skaffat mig nya gardiner i mitt arbetsrum: helt vita. Då jag vaknade i morse trodde jag först att det hade snöat; det var alldeles samma dager i rummet som när den första snön har kommit. Jag tyckte jag kände lukten av nyfallen snö.

Och snart kommer den, snön. Man känner den i luften.

Den skall vara välkommen. Låt den komma. Låt den falla.

BONNIERBIBLIOTEKET

Hittills utkomna volymer: